今、私たちに必要なのは「良質な」ゆるんだ時間

～自然のちからで不調をなくし、元気になりたい方へ

こんにちは。鈴木七重と申します。

初めての著書である前作『ゆるめる・温める・巡らせる』は本当にたくさんの方に読んでいただき、大変うれしく思っています。

私は普段、「チムグスイ」というブランドでハーブや薬草、アロマオイルを使ったプロダクトの開発・販売をしたり、植物療法士として自然療法を伝える講座を開催しています。

講座に来る方の悩みで最も多く、最近増えているのが「自律神経の乱れ」からくる不調です。特にコロナ禍以降、ここ2～3年で急激に増えた印象です。この背景には、急速に進んだオンライン化が関係しているのではないかと推察しています。

前著『ゆるめる・温める・巡らせる』では、「ゆるめる」の章で自律神経を整える方法をお伝えしました。このタイトルの言葉の順番には意味があります。どんな不調にしろ、まずは「ゆるめる」ケアを最初にやること。そうすることが、様々な不調をなくす近道となるからです。

前述のとおり、コロナ禍以降、ゆるめるケア＝自律神経のケアを必要としている人が、もっと大勢いることを実感しています。

そこで、前著以上に詳しく、もっと丁寧に「ゆるめる」をまとめたのが今回の本です。この本では、自律神経ケアについて４つの流れに沿ってご紹介しています。

Step 1「私を受け入れる」

不調は、あなたのせいではありません。それは、あなたを守るための「からだからの声」です。まずは、からだの仕組みを知り、私たちを取り巻く環境を知り、なぜ不調が起きるのか、からだとこころはどうつながっているのかを知ること。それは、今起きていることをただありのままに受け入れることです。それが、不調をなくす第一歩となります。

Step 2「私を解放する」

ケアをする時に大切にして欲しい、「からだの声を聴くこと」と「マインドフル」な在り方について。無自覚に自分を縛っているルールや、こころの緊張を高めている考え方に気づいていきます。自分に無理をさせている考え方のクセを手放すことができると、心地よくこころとからだを解放でき、上手にゆるむことができます。

Step 3「私を整える」

自律神経を整えるためのセルフケアの実践編です。平日の朝・昼・夜、休日と、時間帯に分けたケアを解説しています。ハーブや精油を使う植物療法をはじめ、体内時計の整え方、姿勢や呼吸を整えるためのボディーワーク、脳の疲れを取るマインドフルネスなど、暮らしの中で無理なく取り入れられる方法を紹介します。ケアを実践して見違えるように元気になった生徒さん達の体験談もあります。

Step 4「私に還る」

からだの声を聴いてセルフケアを続けることで、こころにも変化が訪れます。「本来の私」とはどんな私なのか。「自分らしく生きる」とはどういうことか。セルフケアは不調改善のためだけでなく、よりいきいきと私らしい人生を過ごしていくためのものである、ということをお伝えします。

セルフケアでからだを整えると聞くと、ストイックに生活習慣を整えなくてはいけないと身構えたり、自分に続けられるだろうかと不安な気持ちになったりする方もいるかもしれません。でも、安心してください。

この本でお伝えするのは、無理せず、頑張らず、心地よさを大切にしたセルフケアです。むしろ、肩の力の抜けたその在り方自体が、自律神経を整えるとも言えます。

よく講座でお話ししているのですが、体質や症状は１００人いれば１００通りあるけれど、からだの仕組みは皆同じ、ひとつです。からだの仕組みに沿ったセルフケアであるならば、必ず良い変化は現れます。

どうか自分のからだが持つちからを信じて、取り組んでみてください。

この本を手に取ってくださった皆さまが、本書で紹介するセルフケアで不調が改善し、こころもからだもご機嫌な毎日を送っていただけたらうれしいです。

はじめに ……006

Step
1
私を受け入れる
こころとからだの仕組みと
現代の環境を知る

私たちには「ゆるめる時間」が必要 ……020
ストレス社会を生きている私たち ……022
頭優先、からだを制御した現代 ……025
コロナ禍以降の生活の変化 ……026
自律神経が乱れるとどうなるか ……029
首、肩凝りが及ぼすメンタル不調 ……031
自律神経の仕組み ……034
「交感神経優位」の時間が極端に長い現代 ……036
ホルモンバランス、免疫力、アレルギーにも自律神経 ……041
「血流のいいからだ」も、まずは自律神経から ……044
不調は悪いことではない ……046

Step 2

私を解放する

「べき」「ねば」を手放し、こころとからだを解き放つ

「べき」と「ねば」を解く……052
ケアの時に大切なのは、どんな「在り方」でするか……055
からだをよく観察する……057
マインドフルネスを取り入れる……062
健康を頑張らない……065
「心地よさ」と「快楽」の違い……067
ドーパミン的「楽しさ」と、セロトニン的「穏やかさ」……070

Step 3

私を整える

朝、昼、夜、休日に行う自律神経のセルフケア

自律神経ケアの4原則「植物」「光」「姿勢」「リズム」……078
まずは植物療法で「ゆる活」を始める……080
光とリズム運動には「ウォーキング」……082
「セロ活」の方法……085
自律神経と姿勢……089
自律神経と呼吸……093
自律神経を整えるための食事……096
糖質過多を見直す……099

意外と多い「タンパク質不足」……101
自律神経と腸は相関関係……104
自律神経ケアは「毎日のちょっとずつ」が大切……107

朝のセルフケア

からだの機能を整える朝のボディワーク……112
朝のウォーキングは効果絶大……116
目覚めのためのハーブティー……118
目覚めの精油で一日に活力を……122
体内リズムを整える朝ごはん……126
セロトニン分泌のための材料……130
朝の時間帯におすすめのハーブ一覧……132
朝の時間帯におすすめの精油一覧……134

昼のセルフケア

エネルギーを補給する昼ごはん……138
光を浴びる……142
「今、ここ」に焦点を合わせるマインドワーク……144

昼のハーブティー……148
ストレス、凝りをリリースするロールオンアロマ&アロマミスト……152
巻き肩、ストレートネック改善のためのストレッチ……156
昼の時間帯におすすめのハーブ一覧……160
昼の時間帯におすすめの精油一覧……162

夜のセルフケア

からだを休める夜ごはん……166
夜の鎮めるハーブティー……168
深い眠りにつくためのボディワーク……172
目の疲れを癒すアロマ蒸しタオル……176
お風呂でハーブ、精油を楽しむ……178
全身を心地よく温める「足浴」……182
安眠のためのトリートメント……184
眠りが深くなる夜の灯り……188
呼吸、ボディスキャン瞑想……190
夜の時間帯におすすめのハーブ一覧……192

夜の時間帯におすすめの精油一覧 ……194

休日のセルフケア

休日のセルフリトリート ……198
マインドフルなウォーキング ……200
シンプルでも目を喜ばせる食事を ……204
フレッシュハーブティーで特別感を ……208
天然成分だけの入浴剤でゆったりお風呂 ……210
ハーブの蒸気吸入 ……214
キャンドルの灯りで過ごす ……218
ジャーナリングで「書く瞑想」 ……220
香りを使ったマインドフルネス瞑想 ……222

「ゆる活」「セロ活」体験談 ……225

Step

4

私に還る

より自然体な「本来の私」へ

「ありのまま」を認めると本当の安心感が訪れる …… 240
他人軸から自分軸へ 「自分らしく生きる」ということ …… 243
「自我」を超えて「自己」で生きる …… 246
自然は調和に向かっている …… 251

ハーブと精油の選び方・使い方・保管法 …… 256
ハーブ・精油の注意事項 …… 258

おわりに …… 260
参考文献 …… 262

【注意事項】

●ハーブやハーブティー、精油は医療品のような有効性を保障するものではありません。使用にあたっては、自己責任で楽しんでください。●本書で紹介する効能や作用には個人差があります。また、同じ人が使っても体調によって違う反応がでることがあります。症状が悪化した時は使用をやめ、不安があるものは、専門家や専門医に相談することをおすすめいたします。●持病がある場合、治療中の方、薬を服用されている方は必ず医師に相談してください。●本書で紹介されているハーブや精油の使用前には、必ずP.256～の注意事項をご確認ください。●本書の著者、制作関係者、ならびに出版社は、この本を使用して生じた一切の損傷、負傷、そのほかの不具合についての責任は負いかねます。

[Staff]
デザイン　漆原悠一（tento）
写真　山本康平
イラスト　shunshun
モデル　Maaya Hanson
編集　別府美絹（エクスナレッジ）
編集協力　堺あゆみ

Step 1

私を受け入れる

こころとからだの仕組みと現代の環境を知る

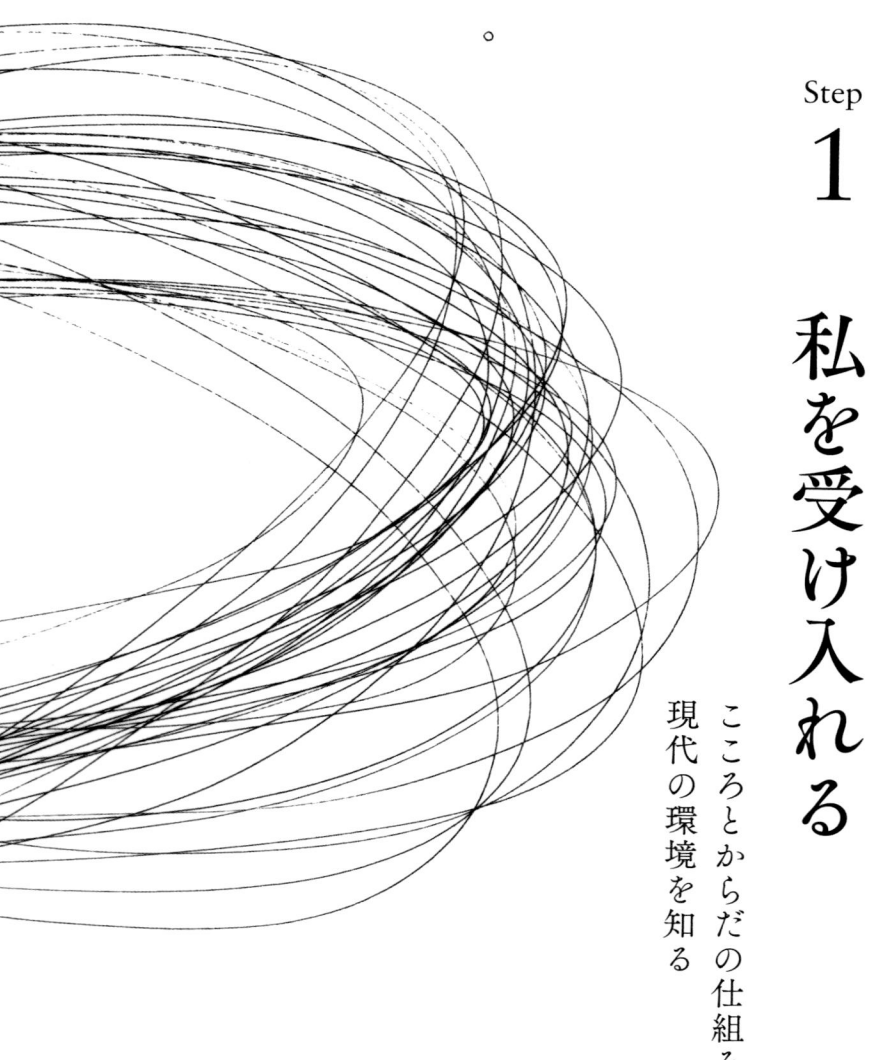

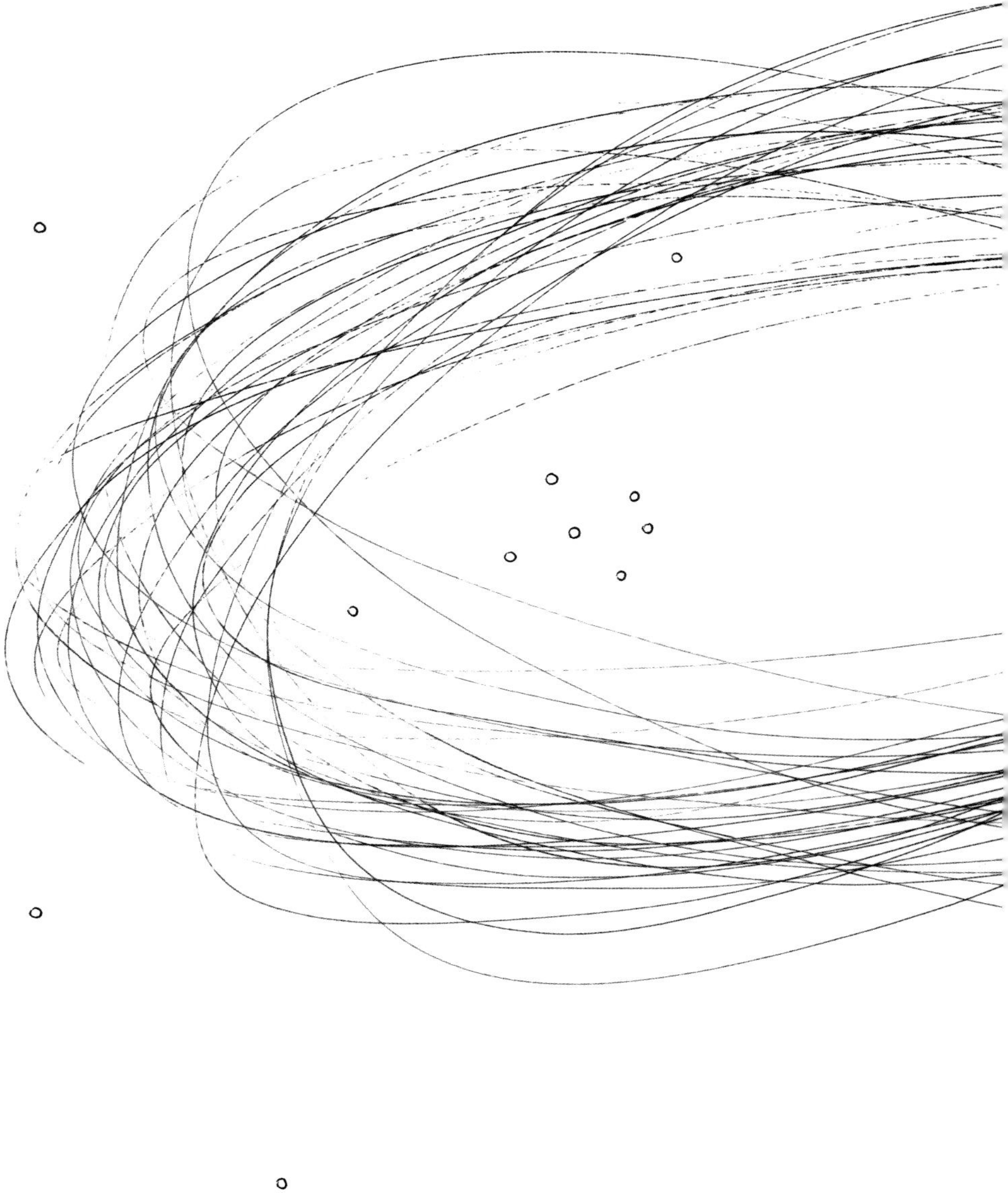

私たちには「ゆるめる時間」が必要

気持ちよく晴れた休日の午後。昼食の後ソファに座っていたら、窓からの木漏れ日がキラキラ輝いて、それを見ていたらいつの間にか寝てしまった。

露天風呂にゆっくり浸かった時。思わず「ふ〜っ」と息が漏れ、頭の中から普段の忙しさが消えてこころが穏やかになり、その日は何もせずぐっすり熟睡した。

こんなふうに気持ちよくゆるんだ時間、あなたは最近いつ体験したでしょうか。おそらく半年に一回の旅先とか、たまたまスケジュールが空いたある日、そんな感じではないでしょうか。

こころやからだが深い休息の中にいる時、普段忙しい私たちは、「何もしていない」と罪悪感を感じがちです。「時間を無駄にしてしまった、今から巻き返さなきゃ」とさらに頑張ってしまう人も多いことでしょう。

ですが、実はこのゆるんだ時間にも、からだの内側では重要な仕事が行われています。むしろ、「重要な仕事をこなすためにエネルギーのすべてを向けている」から、何もしたくないのです。

気持ちよくゆるんでいる時、こころとからだではこんなことが起こっています。

呼吸が深くなり肺からたっぷりと酸素が取り込まれ、穏やかな気持ちになります。心身は気持ちよくやわらかくなり、筋肉の緊張がゆるみます。血液が勢いよく巡り始め、毛細血管が開いて手先足先が温かくなり、血液が栄養と酸素を全身の細胞に運ぶため体温が上昇します。ゆるんだからだは深く眠ることができます。その間に成長ホルモンが分泌されて新しい血液を作り、心身の疲労を癒し、傷ついた細胞を修復、免疫機能を向上させます。脳はその日にあったことを整理して記憶し、意識に統合します。すっきりと目覚める翌日は、集中力が増し活発に行動することができるため、程よく疲れます。すると、また夜にうまくゆるむことができるのです。

この「活動」と「休息」がひとつのセットになり、理想のサイクルを繰り返すことで、私たちのからだは正常に機能します。ですから、深い休息の時間は「何もしていない」のではなく、私たちの活動がオフになっているからこそ、生命システムが無意識の領域で「今だ！」とばかりに活発に働くのです。

しかし、忙しい現代人は、本当の意味での「休む」ということをしっかりできていない人がほとんどです。それは、携帯電話の電池に例えると「赤いマークがやっと黄色に変わった」くらいで動き出している状態。ですから、すぐにエネルギーが足りなくなって疲れてしまい、頭はぼんやりしてやる気が湧かず、不調が出始めます。

講座の時に生徒さんの心身をカウンセリングすると、生理痛や生理不順をはじめ、肩凝り、腰痛、疲れやすい、アレルギー、便秘、冷え性、めまい、動悸といったからだの症状や、イライラする、緊張しやすい、不安になりやすい、眠りが浅い、眠れないといったこころの不調まで、不定愁訴《ふていしゅうそ》がない人のほうが珍しいくらい、何かしら不調を抱えています。病名がつくほどでもない、仕事を休むほどでもないこのような症状は、ほとんどがストレスや生活習慣からくる自律神経の乱れが関係する不調です。

世の中には自律神経を整える健康法が多くありますが、私の講座では何はさておき「ゆるめるケア」を優先してやるようおすすめしています。「深い休息・質のよい睡眠」は、自律神経を整えることにつながるからです。

自律神経は、私たちが健やかに過ごすための「生命システムの要」。一つ一つの症状に対処しなくても、ゆるめるケアをすることで、不定愁訴がいっぺんに改善されていった例を私はたくさん見てきました。

ストレス社会を生きている私たち

講座の中で生徒さんに試してもらうイメージワークがあります。

ゆったりと椅子に座って目を閉じます。そして、左のキーワードを頭の中でイメージしてください。

「高層ビル・満員電車・通勤ラッシュ」

「渋滞・人混み・大きな音」

「車のエンジン音・たくさんの広告・ネオンサイン・大気汚染」

「テレビから聞こえる事故や事件のニュース」

イメージした後、からだの状態はどんな感じだったでしょうか。


いったん目を開けて、もう一度目を瞑ります。次に左のキーワードをイメージしてください。

「木漏れ日・森の香り・太陽の光・自然な風」

「葉の揺れる音・川のせせらぎ」

「足元の草花・カッコーの声・小鳥のさえずり」

「花の香り・遊ぶ子供・子供の笑い声」

そして、また同じようにからだの状態を観察します。どんな感じでしょうか。


今まで何百人もの方にやっていただいたのですが、最初のイメージと後のイメージで、「からだの状態に違いを感じた」人は、ほぼ100%です。そして全員が、最初のキーワードの時はからだが硬くこわばり、2回目の時はからだが気持ちよくゆるんだとおっしゃいます。ちなみに、キーワードを読み上げる私の声はあえてフラットに、感情を込めたりトーンを変えたりはしていません。

最初のキーワードは、いわゆる大都会で日常的に囲まれているもの。そして2回目のキーワードは、私たちがかつて自然と共に暮らしていた時に囲まれていたものです。これを読んでいる方も、もしよかったら家族や友達同士でやってみてください。人工物に囲まれた環境と自然に囲まれた環境。イメージするだけでからだの状態がこうも違うものか、というほどからだの重さや緊張度が違います。ということは、実際にそこに身を置いている時にはもっと反応が強くなっているはずです。

知らない人との距離が近かったり、大きな音がしたり、巨大な人工物に囲まれたりしていると、人間は「安全だ」と感じることが難しく、全身で警戒をします。それが、からだのこわばりやこころの緊張という形で現れます。ずっとその環境にいると、通常がそのモードなので気づきにくいかもしれませんが、「安心してリラックスしている」とは言い難いでしょう。

自然豊かな田舎で暮らしていれば、その点ではだいぶ緊張は少ないですが、今はどこにいてもインターネットから情報がたくさん入ってきます。また、地方でも同じように現代的な忙しさを抱えていると思います。

前著でもお伝えしたのですが、私たちのからだの仕組みはおよそ600万年前の狩猟採取の時代から全く変わっていません。人類の歴史を24時間に例えると、日常で電気が使われるようになった120年前はたったの2秒前。この2秒間の変化のスピードは凄まじく、その変化は人間のからだやこころの仕組みに沿ったものではありません。

類人猿の時代から、600万年かけて環境と調和しながら生存のために作られた心身の仕組みと、すごいスピードで激変した人工的な社会とのギャップ。ストレスを感じても全く不思議はない時代を私たちは生きているのです。

頭優先、からだを制御した現代

それから、現代の特徴として「過度に頭優位の社会になっている」ということも挙げられます。私たちの暮らしはどんどん便利になって、移動も家事も機械に頼り、生きるためにからだを使う必要が減ってきました。そしてその空いた時間に、テレビやインターネットで情報を得たり、オンラインでコミュニケーションをとったりと、からだは一切動かさずに脳だけを使う時間がとても増えています。仕事も、デスクに座ったままＰＣを扱う頭脳労働の割合がどんどんと増しています。

人類史上、これだけからだと頭の労働の比率が「頭優位」になっている時代は、初めてのことでしょう。よく言われることですが、現代の私たちが受けている1日の情報量は、江戸時代の1年分、平安時代の一生分だそうです。さらにスマートフォンの登場で、私たちが触れる情報量は、この10年で530倍にも増えたそうです！　これからもその勢いは加速していくことでしょう。

ＰＣやスマホを使う時、ゲームをしている時は、交感神経が優位になります。交感神経は活動する時に働く神経ですから、基本的には走ったり歩いたり腕を動かしたりといった「からだを動かすこととセット」なはずです。

からだを動かさず、24時間大量の情報に囲まれて脳だけを極端に動かし、肉体疲労はなく脳疲労が蓄積していく生活。脳内の活動だけで、交感神経優位な時間が長時間続くこと。これはとても特殊な環境です。

勘違いして欲しくないのですが、私は今ここでその是非を問いたい訳ではありません。ただ、長い歴史の中で今の時代の特徴をフラットに把握するために書いています。

文明の発達は、私たちに便利さと豊かさをもたらしてくれています。とはいえ、からだところを緊張させて（交感神経を優位にして）頭だけを興奮させることは、自律神経が乱れて不調が起きる状態を作っているのと同じだということを知っておいて欲しいのです。

コロナ禍以降の生活の変化

２０２０年から始まったコロナ禍は、生活スタイルを一変させ、確実に私たちの心身に大きな影響をもたらしました。それに伴い、自律神経の不調を訴える方が本当に多くなりました。知り合いのボディーワーカーさんや鍼灸師さんなど、心身を整えるプロの方に聞いても皆、「本当に多い！」とおっしゃいます。

今や、仕事でもプライベートでもＰＣやスマホは必須の道具。電車に乗ってみると、8割ぐらいの人がスマホを片手に向き合っています。総務省の調査では、日本人の個人のインターネット使用率は82・9％（２０２１年）と発表されています。２０００年時点では37・1％だったことを考えると、ここ20年で大きく普及したことがわかります。端末の使用率はスマートフォンが68・5％、パソコンが48・1％でスマホが多く、使用時間も年々増加しています。

その結果、姿勢が変化しました。使用中は腕や肩が前に出て、巻き肩になり首が前に出ます。この動きが長時間続くと、猫背になり背骨が歪みます。肩が上がって呼吸が浅くなり、交感神経が過度に優位な状態に。すると、自律神経がうまく機能しなくなります。なぜなら自律神経は、脳から背骨の内側、脊髄を通って全身に広がっているから。物理的な歪みや圧迫が、神経のスムーズな伝達を妨げるのです。

「自律神経の乱れ」というと、精神的なストレスや不規則な生活が原因だと思われがちですが、最近では「姿勢」という肉体的な要因も、かなり大きいことがわかってきています。特に、このスマホ時代は、姿勢の悪さが自律神経が乱れさせ、不調を抱える人が多くなっているのでは、と感じています。

それから、コロナ禍以降のもう一つの変化は、「光」です。リモートワークが増えて、時間の短縮や通勤ラッシュのストレスは減りましたが、外に出ることが極端に少なくなったことで、太陽の光を浴びる時間も減りました。それは心身に大きな影響を及ぼしています。朝、太陽の光を浴びてからだを動かすことは、体内時計を調整して自律神経を整えるために、とても大きな力を持っているからです。

自律神経に対して光の影響が大きいのは、太陽だけではありません。スマホの煌々と明るい白や青の光もです。スマホの光は本来自然界にはないものなので、体内時計に対して時間の撹《かく》乱《らん》を引き起こします。

寝る前に、ソファやベッドでスマホをダラダラと見る。それは心身を休めているつもりでも、脳を興奮させ、目を疲れさせ、気持ちをざわつかせ、休むどころかさらに疲労を蓄積させているのです。最近はナイトモードで光を変化させる機能もありますが、目の焦点を至近距離に合わせ続けると目の周りの筋肉が緊張し、ますます交感神経優位にさせてしまいます。

自律神経の仕組みを理解するにつれ、私たちの生活には自律神経が乱れるトラップがいかに多いことか！　何も考えずに普通に過ごしていたら乱れるのが当たり前というレベルです。もともとストレス社会と呼ばれている現代ですが、コロナ禍以降、さらに加速した印象があります。

自律神経が乱れるとどうなるか

自律神経が乱れているといっても、その名称がからだの部位や状態を表していないので、結局どういう症状なのかわかりづらい人も多いかと思います。自律神経は全身に影響するので、症状は多岐に渡ります。人によって現れ方が違うので、気づいてない人も多いかもしれません。

自律神経の乱れによって現れる代表的な症状は、次の通りです。

頭痛、肩凝り、首凝り、腰痛、低気圧頭痛、不整脈、動悸、めまい、耳鳴り、手足のしびれ、喉の詰まり感、息苦しさ、倦怠感、微熱、冷え、多汗、免疫力の低下、食欲不振、胃痛、下痢、便秘、生理不順、不眠、イライラ、不安感、抑うつ

一人でいくつも併発している場合は、自律神経が乱れている可能性が高いでしょう。さらにそれが進むと、過敏性腸症候群、メニエール病、パニック障害、更年期障害、起立性調節障害、自律神経型うつ、と診断されることもあります。

逆に、自律神経が整っている時はこんな状態です。

疲れにくい、精神的に安定していて穏やか、胃腸の調子が良く適度に食欲がある、肌の調子がいい、集中力が増す、すぐにリラックスできる、オンとオフの切り替えが上手い、よく眠れる、気力にも体力にも余裕がある……など。

自律神経が整っていると当然、不調は少なくてコンディションのいい、いわゆるご機嫌な私で過ごすことができます。ご機嫌な状態で過ごす毎日と、自律神経が乱れあらゆる不調を抱えて過ごす毎日、どちらがいいかは考えるまでもないでしょう。

現代はあまりに自律神経が乱れやすいライフスタイルですが、本来は自律神経が整っていることがニュートラルな状態。「本来の自分」ということ。自律神経が乱れたままでは、能力も発揮できません。

私たちは常に何らかの目的・目標を抱え、「無理してでも頑張ることが必要だ」と思い込みがちです。しかし、それが原因で心身が不調になってしまっては本末転倒。もし目標が達成できたとしても、整った状態で出した結果はもっとすばらしいものかもしれませんし、その一瞬は良くても、持続可能な幸せではないかもしれません。

まずは「心身ともに、本来の私でいられること」を優先する。それが現代にとって一番重要なことなのです。

首、肩凝りが及ぼすメンタル不調

実は、前著を出してから3年の間に、私のからだにも大きな波がありました。今回の本は自分の実体験も踏まえて、「自律神経を整えることについて、さらに理解が深まったから書くことができた」と言っても過言ではありません。

コロナ禍以降、私の講座も対面での開催ができなくなり、全てオンラインに切り替わりました。おかげさまで全国に生徒さんは広がり、録画を使えば子育て中や仕事が忙しい方でも自分のペースで学べるように。コロナ渦前までは、講座のオンライン化なんて全く考えておらず、私が全国に出張するスタイルだったので、思わぬ恩恵にびっくりしつつ、文明の利器に感謝しました。

しかし、デメリットの影響もしっかりと受けてしまいました。ＰＣを長時間見続けることが増えたことで、姿勢が悪くなってしまったのです。特に巻き肩とストレートネック、目の疲れ、そこからくる首、肩の凝りには、ヨガやアロマオイルでのセルフケアが毎日必須でした。

ある休日、頭の疲れを癒やそうとヘッドスパに行った時のことです。オプションで小顔矯正ができるとのことだったので、気軽にお願いしました。東京出張中のことで、初めて行くサロン、初めてのセラピストさんでした。楽しくおしゃべりをしながらの頭皮のマッサージは気持ちがよく、今夜はリラックスしてぐっすり眠れそうだな、と思っていました。

頭のマッサージが終わり「では小顔矯正のために、頭蓋骨を少し動かしていきますね」との声掛けで、セラピストさんが私の頭を触り出した時のことです。私の後頭部が持ち上げられた瞬間、全身に嫌な刺激が走り、脳貧血を起こした時のようにからだから力が抜けました。

それまでとても気持ちがよかったのに、一瞬にして体調が変わってしまったことに驚きました。さっきまでホカホカだった手足からは血の気がひき、からだは緊張し、こころは不安感でいっぱいに。「心地よい」とは全く逆の状態です。すぐにそれ以上の施術は中断していただき、電車に乗れる元気はなかったので、やむを得ずタクシーで宿に戻りました。

その夜、ホテルに戻っても体調は戻りませんでした。精神的に落ち着かなくざわざわしてしまい、お風呂に入っても眠れません。パニック発作が起きる前の予期不安に近い状態です。それは翌日も続き、急いで用事を済ませ、なんとか家に戻りました。

その時、特にストレスがあったわけではありませんし、施術前まで心身ともに調子がよく、これまでそんな精神状態になったことがなかったので困惑しました。

冷静にからだの状態を観察してみると、首と肩、鎖骨周りがパンパンに固くなり、首と頭の位置がずれたような状態。矯正で骨の位置を動かしたことで不調に陥ってしまったようです。そこで、湯船に首までしっかり浸かって温め、ローズゼラニウムやラベンダーの精油が入ったマッサージオイルでゆっくりと首と肩周りをほぐしました。

すると翌朝、目覚めた瞬間に「あ、治ってる！」。普段通りの自分に戻っていました。ずれた感覚だった首と頭の位置も正常に戻った感じです。

この時つくづく思ったのは、「首の痛みや歪みが、メンタルにこんなにも影響を及ぼすのか」ということです。ということは、パニック発作や過呼吸、不安障害のある方も首や肩周りの凝りや緊張がその原因のひとつになっているかもしれない。そこをしっかりとほぐせば、症状が緩和する可能性があるのかもしれないと思いました。

その後、興味を持って調べると、やはり多くの神経系の医師や整体師、鍼灸師の方々が、首の凝りと自律神経失調症、うつ病との関連について発信していました。

東京脳神経センター理事長／医学博士の松井孝嘉氏によると、同医院にて「うつ病」と診断された患者さんの9割が、首凝りによる「自律神経うつ」。このタイプの患者さんは、抗うつ剤の処方では治らないどころか、薬の副作用によって苦しむことになるのだそう。そして「首の筋肉の治療によって自律神経うつは治せる」と述べています。

私の場合は、一時的な症状だったので治りも早く幸いでしたが、慢性的に首、肩、頭の凝りを抱えている方は、同じようなことで思い当たる節もあるのではないでしょうか。

自律神経の仕組み

自律神経のケアをするにあたって、もう少し自律神経の話をさせてください。というのも、仕組みを知っていると、整え方も本質的に理解できるからです。本質を理解できれば、表面的な健康法ではなく、自分に最適な整え方で自分を変えることができます。

自律神経というのは、生命活動にとってとても重要な神経で、脳から首の骨、背骨を通って全身に広がっています。脳から指令を受けて内臓を動かしたり、体温や血圧を調整したり、毛細血管を広げたり細くしたりしています。

暑い時には汗をかき、寒かったら毛細血管を収縮させてからだの深部に血液を集め、体温を36～37度に保つ。口から食べ物が入ってきたら胃や腸が動き出して食べ物を小さく砕き、ドロドロにしてからだの中に栄養を吸収する。これらの働きを自動的にしてくれているのが、自律神経です。

自律神経には、「交感神経」と「副交感神経」の2種類があり、よく車のアクセルとブレーキに例えられます。活発に動く時、興奮した時、緊張した時、不安になった時に働くのがアクセル役の交感神経。ゆっくりしている時、穏やかな気持ちの時、食後、就寝時に働くのがブ

［自律神経のリズム］

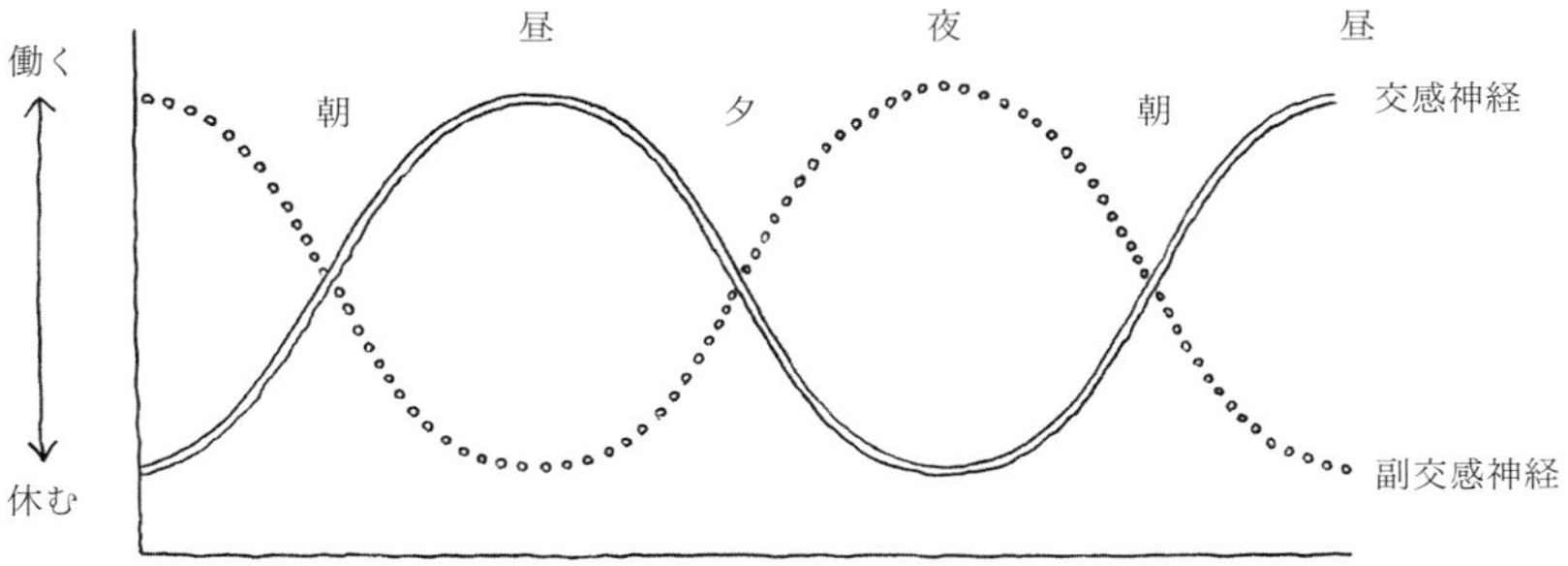

レーキ役の副交感神経です。

昼食後、おなかがいっぱいでゆっくりしている時は、少しブレーキをかけて副交感神経優位にさせ、急にびっくりすることが起きたらアクセルを強めて交感神経を優位にさせる。変化する外の環境に合わせて24時間休むことなく、「からだとこころを最適な状態に保とう」と、無意識の領域で働いているのです。

車にとってアクセルとブレーキが等しく大切で欠かせないものであるように、私たちにとっても交感神経と副交感神経の両方が大切です。交感神経の働きによって私たちはいきいきと活発に動くことができ、副交感神経の働きによってゆっくり休んでエネルギーを充電することができます。

また、自律神経は1日の流れで変化します。朝から昼にかけて交感神経が優位になり、夕方から夜にかけて副交感神経が優位に。地球が自転する速度と同じタイミングで体内時計が調整されていると、自律神経のバランスが整っていると言えます。

「交感神経優位」の時間が極端に長い現代

自律神経は私たちの脳の一番奥、視床下部《ししょうかぶ》というところでコントロールされています。視床下部は爬虫類時代からあるとても古い部位です。爬虫類時代ということは3億年も前ですから、脳の仕組みがどれほど長い時間をかけて脈々と私たちのからだの内側に受け継がれているのか、驚くばかりです。

私たちの祖先は、爬虫類から鳥類→ほにゅう類→霊長類（サルの仲間、ヒトも含まれる）と、気の遠くなるほど長い時間をかけて進化しながら脊椎動物となってきました。そして自律神経は、背骨を通って全身に張り巡らされ、37兆の細胞と連動しながら、私たちのからだの中の一部として定着してきました。

進化の目的はいつも一つです。

「その環境で生き残るために、からだを最適化する」。

生き残るというのは、個体はもちろん「種」全体も含まれます。種の保存というのは、私たちに深く刻まれた本能です。

さて、最初にもお話したとおり、ヒトの歴史の大半が狩猟採集の時代です。命の進化は、狩猟採取の時代に生き抜いていくのに最適化され、自然界と調和するようにできています。

夏の暑さや冬の寒さに対応したり、朝と夜の光の変化に合わせたり、獣と出会ったら闘うか逃げるか判断したり、食べものを発見したら食欲が湧いたり……。そういうことが生命活動にとって大切なことで、私たちのからだは今でもその仕組みに沿って動いています。何しろ「何億年もかけて作られた、生き残るための仕組み」ですから、今が狩猟採取の時代とかけ離れた生活でも、そうそう簡単には変化できないのです。

ですから、私たちがアクセルを踏んでいる日中、つまり、交感神経が優位になっている時は、狩猟採取時代の「狩り」と同じ状態です。

獲物を前に意識を集中し、末端の毛細血管を閉じて脳や大きな筋肉に血液を回す。目の瞳孔を開いて獲物に焦点を当て、頭は研ぎ澄まされ興奮していく。こころもからだも緊張が高まり、心臓の鼓動が早くなり、血圧は上がり、息は浅く早い呼吸に。全力で走るのに適した状態です。

食べ物の消化吸収に関することや、排泄に関することは、当然、狩りの最中に必要ないので、その機能はストップします。おなかも空きませんし、トイレに行きたくもなりません。そうして、獲物を捉えることにすべての力を注ぐのです。

対して、ブレーキの時間＝副交感神経が優位なのは、日が落ちる夕方、食事の時や寝る前のリラックスした安心な時間です。狩りで無事に獲物をとらえ、焚き火を囲みながら仲間たちと食事をする時。気持ちは晴れ晴れとし、おいしい食べ物を前に唾液も出てきて、消化の準備が始まります。胃や腸が働き始め、おなかがぐうっと鳴り、食欲が湧きます。毛細血管は拡張して全身が温かくなり、忘れていた尿意も思い出すでしょう。

苦労して捕まえた獲物の肉はおいしく、闘いに成功した充実感で歓喜の感情がからだからあふれ、歌や踊りなど芸術の源も生まれたことでしょう。心身が満ち足りて呼吸も深くなり、満天の星空の下、ゆったりとした気持ちで眠りにつきます。そして、元気いっぱいに朝を迎えて太陽の光を浴び、また歩き出すのです。これが太古から現在まで続く自律神経バランスです。

現代の私たちは、獲物を追いかけることはありませんが、いつも目的・目標に追われています。デスクワーカーで納期が迫っていたら、ＰＣの前でじっと座っていても脳内は焦って興奮し、狩りの時と同じ状態です。

おなかが空くのも、栄養を吸収するのもリラックスした時間だけですから、たいしておなかは空きません。仕事をしながら慌てて食事をしても、消化液がちゃんと分泌されないままに取り込むため、胃腸の調子を崩します。涙が分泌されるのもリラックスした時間ですから、どんなに目薬をさしてもドライアイは治りません。腸が動いて便を作ったり出したりするのも、副交感神経が優位の時なので、くつろいだ時間がないと便秘も治らないのです。

しかし、この状況が悪化しても、すぐに不調を招くわけではありません。人間のからだは環境に適応しようとするので、ある程度までは耐えられます。でも、許容範囲を超えると自律神

[交感神経と副交感神経の働き]

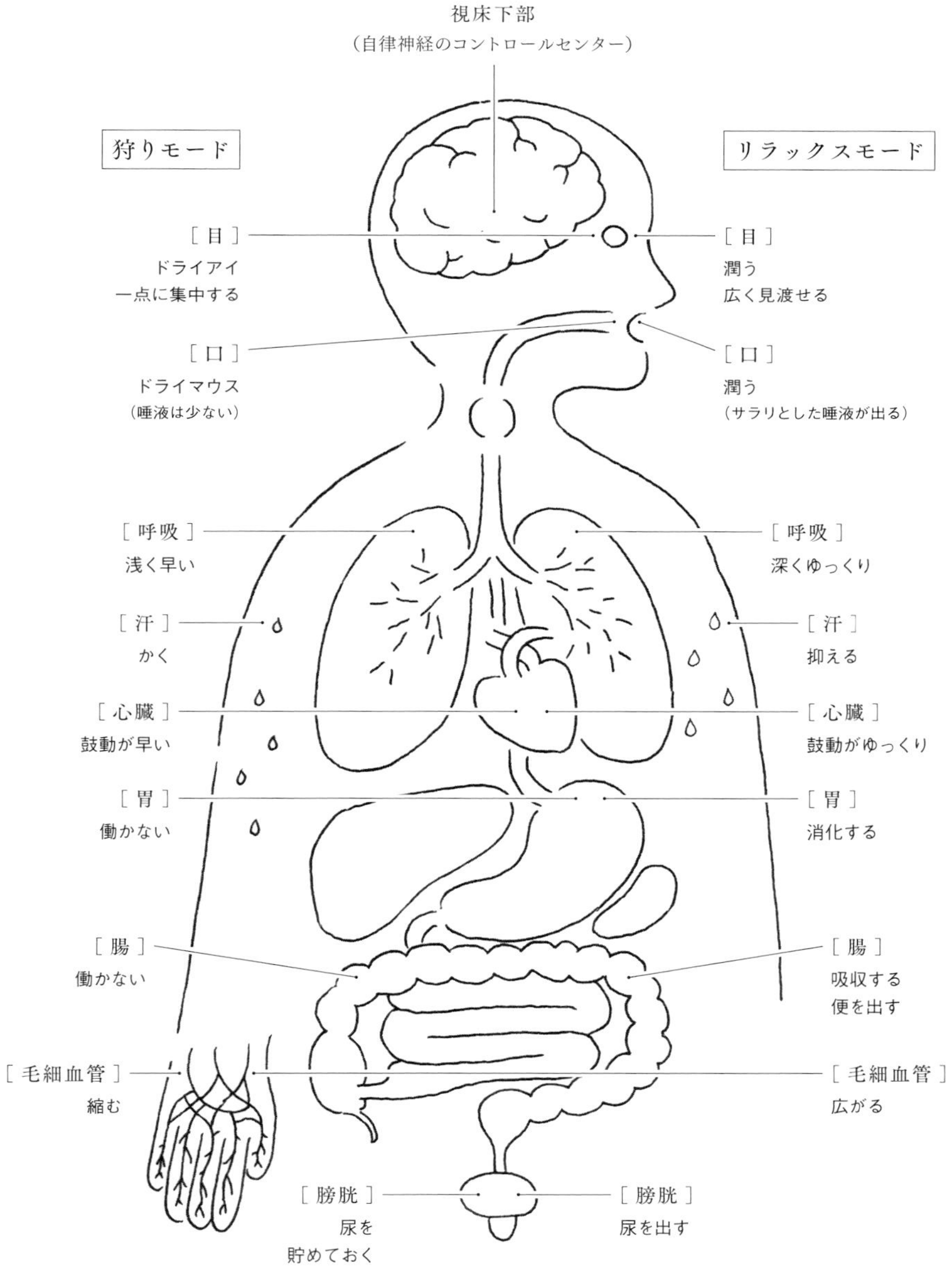
視床下部
（自律神経のコントロールセンター）
狩りモード
リラックスモード
[目]
ドライアイ
一点に集中する
[目]
潤う
広く見渡せる
[口]
ドライマウス
（唾液は少ない）
[口]
潤う
（サラリとした唾液が出る）
[呼吸]
浅く早い
[呼吸]
深くゆっくり
[汗]
かく
[汗]
抑える
[心臓]
鼓動が早い
[心臓]
鼓動がゆっくり
[胃]
働かない
[胃]
消化する
[腸]
働かない
[腸]
吸収する
便を出す
[毛細血管]
縮む
[毛細血管]
広がる
[膀胱]
尿を
貯めておく
[膀胱]
尿を出す

経が乱れ、体調不良という形で現れます。

さらに、自律神経にはストレスが大きく関係します。ヒトはストレスを感じた時、それに対応するために「コルチゾール」というホルモンを増やします。このホルモンが分泌されると、からだは自動的に脈拍や血圧を上昇させて、脳を覚醒させ、交感神経を優位にするのです。

狩猟採取時代は生活がシンプルでしたから、緊張したり興奮したりするのは主に獲物や未知のものを目の前にした時と限られていました。考え方も情報も今よりとてもシンプルで、獲物や敵が目の前からいなくなれば、コルチゾール量は低下して、自律神経バランスも通常に戻りリラックスできました。

対して、現代の私たちの環境は複雑です。人工物に囲まれた中、人間関係や仕事、過去の後悔や将来の心配、遠くの事件や事故……と、様々な心配や不安がのしかかります。こうなると常にコルチゾールが分泌されて交感神経が優位になり、リラックスすることができないのです。

ストレスは必ずしも悪いものではありません。ストレスがあることで、強さや忍耐力を学ぶことができます。問題なのは、ストレスを必要以上に持続させてしまうことです。

これだけ複雑化した社会においては、自分自身でストレスをリリースできる心地よい方法をいくつか持っておくことが必要です。そのためにハーブや精油を使った植物療法は、大いに役に立ちます。「私を整える」（P.78〜）の章では、その実践方法を多数お伝えしています。

ホルモンバランス、免疫力、アレルギーにも自律神経

自律神経のコントロールは、脳の一番奥の部分にある「視床下部」で行われます。視床下部には自律神経だけでなく、ホルモンの分泌、免疫細胞の働きを司令する箇所もあります。私たちの社会に例えると、生命にとって重要な任務を担う司令官が集まっているところです。

外界の環境、そして体内環境の変化に応じて「自律神経の司令官」がアクセル（交感神経）とブレーキ（副交感神経）を調整。隣で「内分泌系（ホルモン）の司令官」がその時々に応じて一番適したホルモンの種類や量を分泌するように司令を出し、「免疫細胞のリーダー」が全身に散らばって働く免疫細胞たちに発動の指令を出す、というイメージです。からだという大きな組織の平和と健やかさを保つために、この3人は密にコミュニケーションを取り合い、バランスを取っています。この3人の司令官が仲良くご機嫌に働いていると、私たちのからだは健やかさをキープできるというわけです。

この機能を「ホメオスタシス（恒常性）」といい、常に健やかな状態に戻ろうとする力を「自

然治癒力」と呼ぶことができます。この3人は互いに影響を与え合います。ですから、ストレスの影響で自律神経が乱れると、ホルモンバランスが乱れたり、免疫力が落ちたりするのです。

免疫というと、高い方がいいと思っている人が多いのですが、実は免疫は高過ぎるのも低過ぎるのも望ましくなく、バランスが取れているのが一番いい状態です。このバランスを取る役目を担っているのも自律神経です。

免疫細胞にはたくさんの種類があり、交感神経が優位な時は「顆粒球《かりゅうきゅう》」というグループの免疫細胞が増えて働きます。狩猟採取時代、動き回る日中は怪我をするリスクが高い時間帯。ですから、この交感神経優位な時間帯に、免疫細胞の中でも怪我による細菌感染や寄生虫感染に強い白血球・顆粒球が増える仕組みになっているのではないかと言われています。

一方、副交感神経優位な時は「リンパ球」という免疫細胞が増えて活発になります。リラックスしている夜間は、怪我よりもウイルスなどが体内に侵入するリスクの方が高いので、それらに対抗できるリンパ球を増やして備えているというわけです。

これらは、１００対０で働いているわけではなく、その時々に応じてどちらかが活発になっています。基本的には55～60％程度が顆粒球、35～40％程度がリンパ球、残りがマクロファージ（「自然免疫」の中でも中心的な役割を担っている白血球の一種）、というバランスが理想的な数値で、この割合が最も免疫力が働きます。

現代の交感神経優位の時間が長いライフスタイルは、顆粒球が増え過ぎて、自然と免疫力を下げてしまいます。また、リンパ球にはガン細胞をやっつける「ＮＫキラー細胞」も含まれる

[ホメオスタシスとは？]

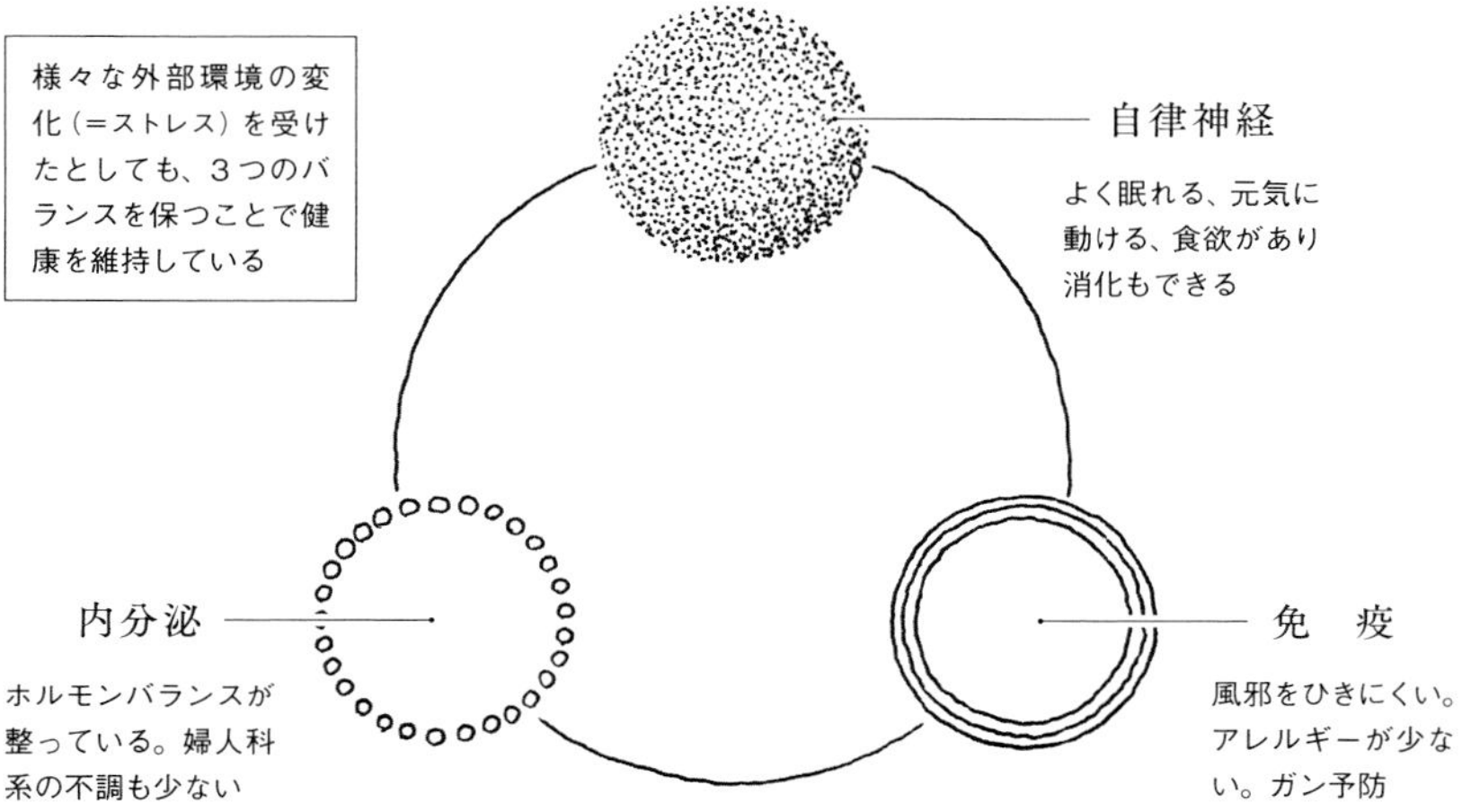
様々な外部環境の変化（＝ストレス）を受けたとしても、３つのバランスを保つことで健康を維持している
自律神経
よく眠れる、元気に動ける、食欲があり消化もできる
内分泌
ホルモンバランスが整っている。婦人科系の不調も少ない
免　疫
風邪をひきにくい。アレルギーが少ない。ガン予防

過度なストレスにさらされ続けると……

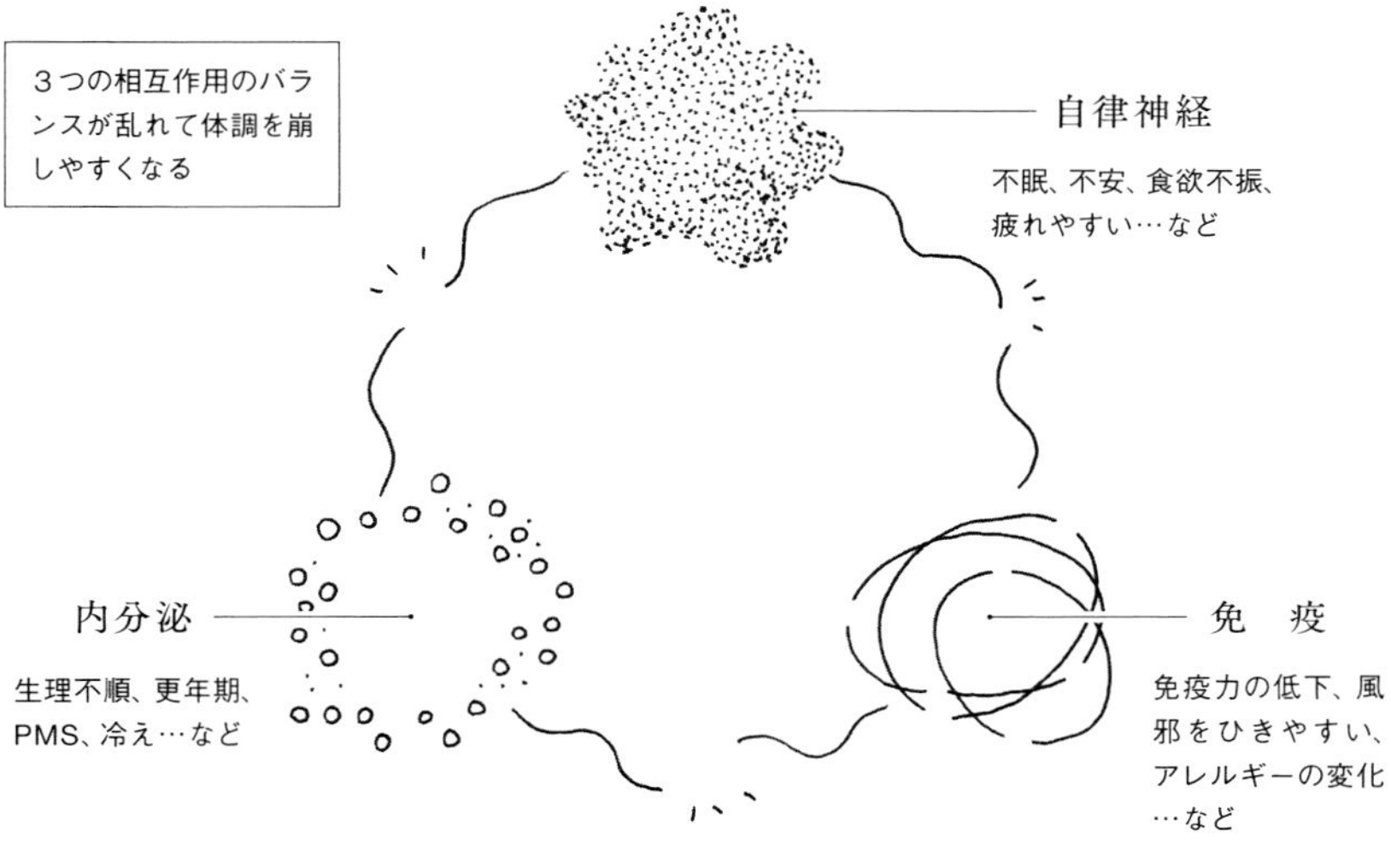
３つの相互作用のバランスが乱れて体調を崩しやすくなる
自律神経
不眠、不安、食欲不振、疲れやすい…など
内分泌
生理不順、更年期、PMS、冷え…など
免　疫
免疫力の低下、風邪をひきやすい、アレルギーの変化…など

ため、副交感神経優位の時間が少ないと、ガン細胞が増えやすいとも言われています。「ガンにはストレスがよくない」「おおらかにのびのび過ごしたり、笑ったり楽しいことがガン細胞を減らすことに効果がある」と言われるのはこういう理由です。

逆に、ゆるみ過ぎてリンパ球が増え過ぎるとアレルギー疾患が多くなります。ですから、「バランスがいい」のが一番です。アレルギーに関しては、体内炎症も大きな要因となりますので、食事も大きく影響します。そしてそれは、自律神経を整えるための食事と全く同じ対処で改善できます。自律神経を整えることに集中すれば、アレルギーも自ずと改善されるのです。

「血流のいいからだ」も、まずは自律神経から

女性のからだを整えるのに「温活」や「血流を良くする」方法がよく言われます。冷えて血の巡りが悪いということは、血液から細胞に栄養や酸素がきちんと届けられていないということ。すると細胞の元気がなくなってしまいます。東洋医学では、「冷えは未病の状態」とされ、

それを放っておくとやがて病につながるから、積極的に温めて血流を良くしましょうと言われます。

私の植物療法講座でも、温めケアや血流に関してはしっかりと学びますし、それがそのまま、婦人科系を整えるケアにもつながります。ただ、どんなに温活を頑張っても、自律神経が乱れている、副交感神経優位のゆるんだ時間が足りていない状態では、血流を改善することはできません。

交感神経優位な時は毛細血管が収縮するため、からだの隅々にまで血液を送ることはできないのは前述のとおり。ですから、ストレスや緊張を感じたり、頑張り過ぎている時間が長いと、いくら温かい飲み物を飲んでも、靴下を重ねても一時しのぎにしかならないのです。こういう時には、リラックス効果のあるハーブや精油を使ったケアでしっかりと副交感神経を優位にすると、あっという間に手足がポカポカになります。

また、血液の質は食べ物が関係しますが、消化吸収の役割を担っている副交感神経が働かなければ、血液に栄養素は届きません。血液の中の血球は約１２０日で入れ替わっていて、絶えず補充が必要です。新しい血液が作られるのは、主に夜の睡眠中。ですから睡眠の質が悪い、時間が短いと、からだは古い血を使い回さざるを得なくなり、血液の質が下がります。よい睡眠のために必要なのは、寝る前に副交感神経がしっかりと優位になっていることです。

質のいい休息をとること＝副交感神経優位のゆるんだ時間をとることが、血液の質と血流を良くするために重要なのです。

不調は悪いことではない

チムグスイの講座では、知識を学ぶだけではなく、実際に植物療法を使って「からだやこころがどう感じたか」「どう変化をしたか」をフィードバックしてもらい、グループセッションをしながら学んでいきます。その結果、皆さん不調が改善されるだけでなく、見違えたようにキラキラとして、人生を自分で良くしていこうという美しい強さを手に入れます。そういう変化に立ち会うと、いつも「不調は、自身が本来の姿に出会うために起きた必然だったのではないか」と、思わざるを得ません。

頭が痛い、首や肩が痛い重い、食欲がない、からだが疲れてぐったりしている、生理痛が重い、眠りが浅い……不調は辛いものです。けれどそれは、「今のまま進むことは、あなたにとって健やかではないですよ」という、からだからのサイン。

人間は困ったことが起きた時にようやく立ち止まり、「本当に大切なことは何か」を真剣に考えます。不快に感じるからこそ、なんとかそこから逃れたいと考えるのです。

からだはあなたに悪いことを起こそうとか、痛めつけてやろうとか、決して考えません。むしろ「生きたい」と、いのちが続くことを一番渇望しているのは、からだ自身です。常に、今ある環境の中でのベストを尽くして、生きよう生きようと全身でバランスを取っています。

絶え間なく心臓を動かして地球2周半分もの長さのある全身の血管に血液を送り続け、食べたものを一生懸命に砕いてペーストにし、からだの中に吸収させ、からだの中に入ってきた不要なものを外に出そうと運ぶ……。私たちの意志に関係なく、ものすごいエネルギーで精密な仕事を休むことなく営み、全力で生きようとしています。

今ある不調は、その環境の中であるがままのことが起っているに過ぎません。まずは、不調を抱えている自分を責めることなく、受け入れ、ここまで頑張ってきたこころとからだをいたわり慈しむことから始めましょう。

本来からだが持っている機能を働かせれば、からだは驚くほど応えてくれます。私たちには「からだの仕組みを変える」力はありませんが、環境を変えることはできます。自然療法とは、ただ単に化学的に合成された薬をナチュラルなものに入れ替えることではなく、「生きよう」「治癒の方向に進もう」としている、からだの流れに沿って生きていくこと。自然界すべてに流れている、いのちのフローと調和することです。

不調は忙しい私たちが日々生きている中で、うっかり忘れてしまうこの大きな流れのことを思い出させてくれる、そして、自然とのつながりを取り戻して、もっと自然体でラクに生きていくきっかけをくれる――そのための「からだの声」にほかなりません。

Step 2

私を解放する

「べき」「ねば」を手放し、
こころとからだを解き放つ

「べき」と「ねば」を解く

ここまでお伝えしてきたように、こころとからだはつながり、お互いに影響を与え合っています。からだが冷える、姿勢が悪くなる、呼吸が浅くなるなど、からだが変化すると、ストレスを感じる、緊張しやすくなる、不安を感じるなど、こころも変化します。逆もまた真なりで、こころが緊張すると、からだがこわばり、なかなか力が抜くことができません。

こころの緊張を感じやすい人の傾向として、「真面目」だということがあります。きちんとしていること、真面目であることはすばらしい長所ですから、それを恥じる必要はありません。ただ、何かをする時に、「～したい」ではなく「～するべき」「～ねばならない」という縛りが自分の中に多過ぎたら、それは無理をしているというサイン。その縛りを少なくし、こころを解放してあげる必要があります。

「べき」と「ねば」で自分を縛っている状況に気づく簡単な方法があります。それは、「あなたよりも自由にしている人や楽しんでいる人を見るとイライラする」または、「とても苦手に感じる」といった時です。

自分も自由な時間を過ごしている時には、同じような人を見ても「楽しそうでいいわねぇ」と素直に感じることができますが、自分の本当の気持ちや欲望を抑圧している時には、「癇に障って仕方がない」という立ちます。これを心理学では「シャドウの投影」と言います。

とは言え、イライラしている時に、苦手な人と同じことをしても解決にはなりません。「自分は何のどこにモヤモヤしているのか」と、自分の気持ちと丁寧に向き合ってみることが必要です。原因を知れば、イライラはもう8割解決されたも同然です。

ネガティブな感情と向き合うことは、しんどさを感じる時もあるでしょう。そのような時は無理に進めず、ゆっくり少しずつで大丈夫。でもその原因を突き止められた時、「なんだそんなことなのか」と、自分で作っている「〜べき」という枠組みが少しずつゆるんでいるのを感じられるはずです。

そのプロセスでハーブティーを飲んだり、セルフケアをして心地よい時間を作るのはとても有効です。自分をいたわりながら過ごしていると、ある時、急に「あっ！」と、腑に落ちる答えが内側から湧いてくるかもしれません。湧いてこなかったとしても、「今はこれを手放すタイミングじゃないんだな」くらいの、ゆるやかな気持ちでいてください。

よく講座の中で生徒さんにお伝えしているのは、「私たちが普段使っているのは〝社会のものさし〟なので、もうひとつ〝自然の摂理のものさし〟も持っているとラクになりますよ」ということ。自然の摂理には「ねば」と「べき」はありません。「太陽は東から登って西に沈むべきだ」「水は上から下に流れるべきだ」「春になったら桜は咲くべきだ」と、そんなことを言わなくても、自然の摂理はちゃんとそうなります。

ですから、「ねば」と「べき」を強化しないと実現できない物事は、自然の摂理と大きくかけ離れているということなのです。

「今日は疲れて家族の夕飯を作る気がしない」という日は、そんな自分を受け止めて、お惣菜を買うなり、外食するなりして解決しましょう。真面目で頑張り屋さんの人ほど、自分を怠け者だと感じたり、ダメな母親だと責めてしまうかもしれません。そうすると、さらにエネルギーが落ちてからだもこころも重くなり、疲れが増して家族にやさしくなれないという負のループに陥ります。

誰しも動けば疲れるものですし、いつも頑張っていたら、たまにはサボりたくなるもの。あなたが怠惰なわけでも、ダメなわけでもありません。ちゃんと休めばエネルギーは湧いてきます。ご飯作りもちょっと休んだら、また自然に家族のために作りたい気持ちが湧いてくるはず。または、食事作り以外で無理してやっていることを手放したら、料理を作る気力が湧いてくるかもしれません。

「ねば」と「べき」から解放されれば、周りが気にならなくなり、こころは自由と軽やかさを増し、からだの緊張もほぐれてくるのです。

ケアの時に大切なのは、どんな「在り方」でするか

ハーブティーを飲む、精油を焚く、食べるものに気遣う、ボディーワークを取り入れるなど、毎日のセルフケアを行う前に大切なことがあります。それは、どんな在り方でケアをしていくか、という「マインドセット」です。在り方を意識すると、ケアの効果が何十倍にもなります。これは目に見えない部分なので、もしかしたら少し難しく感じるかもしれませんが大丈夫です。

私たちは行動をする時、ついタスクをこなすということに達成感を見出しがちです。ですが、その行動をどんな心持ちで行ったか、どんな在り方で取り組んだか、ここを大切にするかしないかで、こころやからだに起きてくる変化が全く違います。もちろん「行動すること」、ここでの場合は「ケアをすること」は、たとえ1分でもやらないよりはやった方がいいので、それはとても価値のあることです。

本書でお伝えしているのは、自律神経のケアです。自律神経や交感神経、副交感神経と言葉が難しいので、整え方も頭で理解しようとしてしまうかもしれません。でも、それをもっと単

純な言葉で表現すると「朝は朝を喜び、昼は昼を楽しみ、夜は夜を味わい過ごしましょう」ということ。難しいことはありません。

何度も繰り返しますが、自律神経は体内時計と連動しています。では、体内時計が何に反応して時（リズム）を察知しているか。それは「太陽」です。地球の自転によって行われる朝と夜の繰り返しと連動して、からだはリズムを刻んでいます。それは私たちだけでなく、地球に存在するあらゆる生命体・動物や虫、魚、鳥、植物たちが、昼の光と夜の闇と影響し合いながらリズムを奏でているのです。

ですから、頭で難しいことは考えずに、朝は光を一身に浴びて一日の始まりを喜び、昼はエネルギーに満ちた明るい日差しを楽しみ、夜は今日一日無事に過ごせた安心と月明かりの穏やかさを味わいゆったり過ごして欲しいのです。

私たちがこの自然界のリズムと調和すると、自然と自律神経は整います。反対に、あまりにも自然とかけ離れたリズムとなれば、自律神経が乱れます。

自然のリズムとの調和を取り戻すことは、場所がどこであれ、たとえ大都会にいてもできるはずです。地球は毎日回転し、太陽は昇り沈んでいく。そこに私たちは存在しているのですから。どうか朝が来て昼が来て夜が来ることを「あぁ、気持ちがいいな。ありがたいな」と楽しみながらケアしてみてください。

不調な日があったら「ちょっと疲れたのね」といつもよりゆっくりと休む。スムーズに動ける日も「挽回しよう」と無理はせず、おおらかに、軽やかに。そんな在り方でいることを忘れないでください。

それから、ケアを続けていく中で「調子が良くなってきた」と思ったら急に悪くなったり、同じようにケアをしても思うような体調にならなかったりと、思い通りにいかない日があるかもしれません。ですが、これは至って自然なこと。からだやこころの変化というのは一直線に上向くのではなく、小さなゆらぎを繰り返しながら数カ月、数年単位で変わっていくのです。

冬から春に季節が変わる時。毎日数度ずつ一直線に気温が上がることはありません。寒くなったり暖かくなったりを繰り返しながら、春を迎えます。

からだの変化も同じように、小さいスパンでゆらぎながら、最終的には確実によい方に向かっていくのです。一喜一憂することなく、日々のゆらぎにふんわりと乗るくらい柔らかな気持ちでいてください。どんな日もどんな時も、こころやからだという自然は、あなたにとって一番ベストなことを調整してくれるちからがあります。どうかそのことを信頼してください。

からだをよく観察する

ケアを取り入れる時に大切にして欲しいもう一つが「からだをよく観て、感じる」ということです。この場合の「観る」とは、目で見るのではなく「意識して内側を観察し、丁寧に感覚を味わう」という意味です。


例えば、ハーブティーを飲んだ時、からだはどう感じたでしょうか？

カップを口に近づけた時に立ちのぼった蒸気の香り。

飲み込んだ時、口の中で温かい液体が広がる感覚。

舌に感知される味。

喉を通っていく感触。

おなかに入った時にからだ全体に広がる感覚。

ただハーブティーを飲むだけでも、内側をよく観察して味わうとたくさんの感覚が生まれていることに気づくことができます。

そして、ハーブティーを飲む前と後、からだの感覚は何か変化があったでしょうか？
それは温かさやリラックス、心地よさですか？
それとも、スッキリと目が覚めるような感覚でしょうか？
または、何だか満たされて力が湧いてくるような感じもあるかもしれません。

精油の香りを嗅いだ時やマッサージをした時も同様に、からだの内側に広がる感覚を丁寧にただ観察してみてください。すると、からだは思った以上に様々な感覚を発信していることに気づきます。実はこれが「からだの声を聴く」という練習になります。

私たちは常に外からの多くの刺激を受け、それに対処しながら行動を選択しています。また、周りにいる人たちと影響を与え合ってコミュニケーションをとっていますから、どうしてもアンテナが外へ外へと向いていきます。情報量も多く忙しい現代は、意識していないと常に外向きの意識状態が続いています。

このような時、内側で微かに変化しているからだの感覚に気づくことは難しいでしょう。これは別に悪いことではありませんが、自分で自分のからだを整えたい、セルフケアをしたいという時に、からだの声が聴けるというのはとても重要なポイントです。

不調が始まる時、からだは「声」を発しているはずです。それは、冷えや緊張、硬さ、痛み、滞りといった心地のよくない感覚です。

例えば風邪の引きはじめ。高熱が出る数日〜数時間前に、疲れやすさやだるさ、寒気を感じたという経験がある人は多いと思います。風邪は突然からだを大きく変化させるのでわかりやすいですが、そのほかの不調も症状が出る前に少しずつからだが声をあげているはずです。その声に早く気づいてケアできれば、大きく体調を崩すことはありません。

チムグスイの生徒さんで「慢性の頭痛持ちで薬が手放せなかったけれど、からだの声を聴くようになってからは、ひどい頭痛が減って薬が必要なくなった」という方が大勢います。症状が起こる前のちょっとした変化、首や肩のこわばりや、冷え、重さなどを敏感に感じ、早めに対処ができるのです。

私にもこんな経験があります。以前、私は頭痛持ちでしたが、ある夜、頭に少し鈍痛がありました。その頃はローズゼラニウムをメインにブレンドした精油を気に入って、毎晩お風呂に入れていました。でも、なぜかその日は別の精油にとても惹かれました。

「どうしてもこれがいい」という感覚。

それは普段お風呂の時には使わないものだったので、自分でも「?」と思ったのですが、気持ちを優先して、湯船に数滴その精油を垂らして入りました。すると、いつもそれほど惹かれないローマンカモミールの香りが、本当に心身に染み渡るほどに感じられ、頭痛がすっかり治っていました。

ローマンカモミールには鎮痛効果があり適応症に頭痛もありますが、普段そのブレンド精油はお風呂では使っていませんでした。けれど、お風呂以外で使った時の感覚をからだが記憶していたのでしょう。からだの方から「今必要なのはこれ」と、はっきりとサインをくれました。

この体験は、スピリチュアルな才能でもサイキックな能力でもありません。私たち全員が生まれながらに持っている感覚です。胃もたれしている時、あるいは風邪で食欲がない時、揚げ物ではなく、おかゆを食べたいと思うでしょう。それと全く同じ感覚です。

ハーブや精油といった普段なじみのないものだと、その時々にどれが必要か、自分に合うかがわからないのは当然です。でも、からだの声を聴くことは、本来皆さんに備わっている力。普段からからだの内側に意識を伸ばしてケアを続けていると、自分のからだに敏感になれるはずです。これも経験と訓練なのです。

ただ、少しだけ気をつけていただきたいのは、ケアをしてみたけれど心地よい感覚が得られなかった、あるいは痛みなどの不快な感覚がなくならなかった。または、疲れたり無理をしたりしてからだの中に不快な感覚を見つけた、という時。それに対して「悪いことだ」とか「間違っている」とジャッジしないようにすること。

どんな感情も感覚も、ただ起きているだけ。「今はそういう状態」というだけなのです。自身を責めたり、間違っていると判断することは、エネルギーを消耗してしまうことにつながります。不快な感覚が生まれても、からだは健気に頑張っているのです。

それよりも、教えてくれたからだの感覚に感謝して、いたわることでエネルギーは治癒の方向に向かいます。これも最初は難しく感じるかもしれませんが、責めている自身に気づいて手放すということを繰り返すうちに慣れてきます。

私たちは本当に忙しい毎日を送っていますから、内側とつながるきっかけを持つのは、しっかり意識しないと難しいものです。だからこそ、植物を使ってケアする習慣を身につけて欲しいと思います。そうすれば今よりずっと自分自身のからだと仲良くなり、自分を信頼できるはずです。

マインドフルネスを取り入れる

私はこれまでチムグスイを卒業していく多くの生徒さんが、からだが整うとの同時に、こころも整って変化していくのを不思議に思っていました。特に心理療法のようなことは何もしていなかったからです。

ですが、それが一人や二人ではなく、本当に数えきれないくらいの人たちが同じようなプロセスを経て、こころが穏やかになったり、ありのままの自分を認められて生きやすくなっていくのです。その様子を目の当たりにして、これは偶然ではなく、何か自然の法則で起きているのに違いないと思い始めました。

そんなある日、ある生徒さんの一言にハッとしました。「チムグスイで伝えている植物療法は、植物を使ったマインドフルネスだ」と表現したのです。

マインドフルネスとは、医学博士・禅指導者のジャン・チョーズン・ベイズ氏の著書で、こう定義づけられています。

『マインドフルネスとは、自分の体や頭や心のなか、さらに身の周りに起きていることに意識を完全に向けること。批判や判断の加わらない「気付き」』

(『「今、ここ」に意識を集中する練習』日本実業出版社刊より)

つまり、意識が「今、ここ」にあること。過去や未来に飛んで空想の世界を漂いがちな意識を、今に集中させている状態のことです。

先に「からだをよく観て感じる」ことについてお伝えしましたが、からだの感覚に集中している時、実は私たちは自動的に「マインドフル」な状態になっているのです。

そしてその状態を作るための方法が「マインドフルネス瞑想」です。マインドフルネス瞑想は今や世界中に広がり、こころのメンテナンスやストレスケアに役立てられています。特にGoogleやAppleなどIT企業の研修にも取り入れられているそうで、ビジネスやテクノロジーという一見、瞑想とは正反対の世界に思える場所で認められています。またマイケル・ジョーダン選手やテニスプレーヤーのジョコビッチ選手などの一流選手の間でも、メンタルトレーニングに取り入れていたことで注目を集めています。

その方法は数多くあるのですが、呼吸に意識を向けるもの、歩く時に動きに意識を向けるもの、食べ物を食べている時にその味や舌触りに意識を向けるものなど、からだの感覚に意識を集中させることが多いのが特徴です。

伝統的な瞑想法では、サンスクリット語のマントラや曼荼羅《まんだら》などを使って、そこに意識を集中させて瞑想状態に入ったり、祈りを捧げ続けることで変性意識状態に入ったりすることがあります。私自身もお気に入りのマントラがあり、長年それを使って瞑想に入っていました。

マインドフルネスも仏教の禅が発祥と言われていますが、その技法のシンプルさ故に宗教色が少ないと言えます。現代の私たちにはマインドフルネス瞑想のフラットさが受け入れやすく、また日常に取り入れやすいのは確かです。

「今起きているありのままをただ観察する、気づく」というマインドフルネスの在り方があまりにもナチュラルで、私の中で瞑想とは捉えていなかったのですが、確かにチムグスイで大切にしている「からだの声に集中して耳を澄ます方法」は、そのままマインドフルネス瞑想と同じ方法でした。

生徒さんから何百回も聞いた共通するフレーズに「揺れている自分を観察する、もう一人の自分がいる」というものがあります。体調・感情の波はあるけれど、それを俯瞰で観察するもう一つの視点が生まれて、以前よりも波に飲まれなくなった、というのです（私が先に、こういう風になりますよ、こうなるといいですよ、とは全く言っていません！）。

これはまさにマインドフルな状態で「起きていることをただ観察した」という経験です。からだに意識を向けてセルフケアをすることが、自然にマインドフルネス瞑想を繰り返した時と同じような効果を生んでいたのです。これは本当に大きな気づきでした。（教えてくれた生徒さんに感謝です！）

マインドフルネスを取り入れることによって得られる効果は、

・緊張の緩和
・集中力の増加
・不安の減少
・ストレスの緩和
・脳の疲労軽減
・眠りの質の改善

などと言われています（一応つけ加えておくと、マインドフルネス以外の瞑想でも同じことが得られます）。これはまさに「良質な休息」「ゆるんでいる」「副交感神経が優位」な状態です。

ケアをする時に「からだの声を聴く」ということを意識するだけで、自然にこころも穏やかに整っていく。こんなに一挙両得なことがあるでしょうか。

健康を頑張らない

「頑張って健康になろうとしないように」。

講座の中でよく生徒さんたちにお伝えしていることです。

健康は頑張って手に入れるものではありません。日々の生活の中で無理なく自分を整えられればすばらしいですが、不調や病が残っていたとしても、自分なりに満たされていれば、それもすばらしいこと。人にはそれぞれ生まれ持った体質があります。環境も違います。誰かの真似をして無理に作った健康体がＯＫで、それ以外はＮＧという価値観に振り回される必要はないのです。自分に無理のない適したケアでなければ、その健康は長くは続きません。

また、病を怖れるあまり、杓子定規な食事や生活スタイルを決めていく怖れをベースにした健康ライフ。これも、精神的な健やかさとは離れてしまいます。

それよりも、「今日一日のこころとからだが、少しでもラクに過ごせるように。明日のこころとからだが、エネルギーに満ち心地よく過ごせるように」。そんな風に小さな変化に集中しながら日々を積み重ねていくこと。頑張り過ぎず、日常の中に「整え」が自然に染み込んでいること。これがセルフケアの継続できる在り方だと思います。

講座の時に、「前回の講座から今回までの間にどんなケアをしたか」「それによってどんな変化があったか」をシェアしてもらう時間があります。「実践するのは各自のペースで大丈夫」「忙しくて実践できなくてもかまいませんよ」と、あらかじめお伝えしているのですが、たまにケアができなかったことを私に詫びて、自分を責めてしまう生徒さんがいます。

セルフケアは誰のためでもなく、自分がラクになるためのもの。やらなくても周りの人に迷惑がかかるわけではありません。私も困るわけではないのです。だから、誰かに申し訳ないような気持ちになる必要は全くありません。

ましてや、脳内に「健康先生」とでもいうような厳しい師匠像のようなものができ上がって、「食べたいものは我慢して、からだによいものだけ食べて、欲望を持たず、いつだって健康に良いことを選ぶ。それを達成しないとダメな自分になる」というようなストイックさは、自律神経ケアにおいては不要。その在り方は、逆にこころとからだを緊張させます。

私たちは、完璧な理想の姿でないと、それに対してダメ出しをするクセがいつの間にかついています。ですが、今の「ありのまま」でも、すでに十分頑張っているのです。よりラクな自分でいられるように、セルフケアを取り入れてみる。そんな心持ちで、整えてみてください。

「心地よさ」と「快楽」の違い

さて、今、疑問が沸いてきている方もいるかもしれません。我慢してまでからだに良いことを選ばなくてもいいのだとしたら、自堕落な生活でいいのか？　欲望に任せていて、本当に健やかでいられるのか？　それは整えていると言えるのか？……と。

それに関しても、「からだの声を聴く」ということが本当に役に立ちます。からだは、健やかになれる方を選択すると、「心地よさ」という感覚で教えてくれます。これは、私たちにプログラミングされた「いのちの仕組み」です。

例えば、お風呂のお湯が40度前後のちょうどいい温度だと、誰もが気持ちがいいと感じるでしょう。けれど、50度、60度とやけどをしてしまうような温度になると、「熱い」「不快だ」と感じます。寒い季節だったら、冷たいお風呂は不快です。

このように、基本的には「いのちにとって良いこと」は心地よく、「いのちを脅かすもの」は不快に感じるように人はプログラミングされています。

では、食べた時に気持ちがいいからと、甘い物や揚げ物、お肉などの好きなものを欲望に任せて食べたいだけ食べてもいいのか？　この質問に関しても「からだの声を聴いてください」

とお答えします。

それらを食べた時に感じている気持ちよさは、おそらく脳が感じているものをキャッチしています。私たち人間は、幾度となく食べ物が少ない飢餓の時代を生き抜いてきました。ですから、栄養源になるものを見つけたら、「食べたい」「食べておけ」という指令が脳から発せられ、食べた時にもドーパミンなどの快楽物質が出るようになってます。

でも、それらがあなたの消化負担になっているのなら、からだの重さ、胃腸の痛み、おなかが張る感じ、便の調子などでからだは不快なサインを出します。実は、脳で感じることとからだの声は違うのです。

アイスクリームを見て脳が「食べたい」と反応した時に、もう一度「本当に食べたいだろうか」と、食べた時のからだの感覚をイメージしてみてください。もし、からだが冷えていたり胃腸の調子がいまいちなら、微かに不快感を感じるはずです。

その違いは、「快楽」と「心地よさ」の違いとも言えます。快楽は刺激を求めます。強い香り、強い味、強い色、強い音……など。もちろん、これらの刺激を楽しむ時も、たまにはあってもいいでしょう。でも、ずっと快楽的な刺激の中にいるのは、からだにとって「心地よい」という感覚とは全く別物のはずです。

快楽は「ハレ」的な刺激、心地よさは「ケ」の刺激、と言うとわかりやすいでしょうか。ハレの日のお祭りでは、大きな音や光、ごちそうなど快楽を満たす刺激があります。でも、ずっとその中にいるのは、からだもこころも疲れてしまいます。

「ケ」は日常です。日常で続く心地よさは、もっと静かで繊細で穏やかな感覚です。からだの声に敏感になればなるほど、からだの奥に広がる「繊細な心地よさ」を感じ取れるようになります。そうすると、刺激よりも、もっとシンプルで素朴なものに満足できるようになります。繊細な出汁の旨味、旬の野菜の甘味、肌に触れる天然素材の気持ちよさ、木漏れ日、ハーブのやさしい香り、水のせせらぎ……。それらの心地よさを味わいながら実践していくケアは、我慢も頑張りもいりません。むしろ、「やりたい」気持ちが勝るはずです。

逆にこの「心地いい」に丁寧にフォーカスできると、栄養が足りてないのに食事制限をし続けたり、暑いのに我慢して靴下を重ね履きしたり、疲れているのに運動をし過ぎたり、というような過度な健康志向にストップをかけることもできます。

「過ぎる」のは、残念ながら心地よさからも健やかさからも離れてしまうのです。そういう意味でも「からだの声を聴く」ということはとても大きな力を持っています。

ドーパミン的「楽しさ」と、セロトニン的「穏やかさ」

「快楽」と「心地よさ」は、そのまま「ドーパミン的な幸せ」と「セロトニン的な幸せ」と置き換えることもできます。

「ドーパミン」は、何かを手に入れたり、目標を達成したり、勝負に勝ったと感じた時に脳に放出されるホルモン。「スポーツで試合に勝った」「仕事で目標を達成した」「欲しかったものを手に入れた」。このような時に感じる、高揚感、興奮を伴う喜びです。楽しい、幸福というような感覚も伴います。

はっきりとしたポジティブな感情を味わうので、私たちはさらなる目標に向かい、またチャレンジしたくなります。「あの時の喜びをまた体験できるのであれば、どんなに苦しくても頑張れる」という風に。やる気やモチベーションを保つためのよくできた仕組みです。

現代の私たちは、「何かを手に入れるために、未来の幸せのために、今頑張らなくてはいけない」と、先を見据えて行動する知性を持っています。目標を定めて達成した時の喜びはひとしおですし、その過程で経験した辛いことや苦しいことも糧となり成長していきます。それは真実であり、とても尊いことです。

ドーパミンは努力して達成することだけでなく、おいしいものを食べた時、面白い映画を観た時、SNSなどで承認された時、面白いゲームにハマっている時などにも放出されます。刺激や高揚感、喜びは、私たちの人生になくてはならないエッセンス、エネルギーの象徴でもありますから、これらは悪いものではありません。でも、ドーパミン的な刺激にだけあまりに価値が置かれることは、健やかさからは離れてしまいます。

ドーパミンが暴走し過剰になると、「依存症」になります。アルコール、ゲーム、スマホ、ギャンブル、買い物……依存してしまうのは、ドーパミンが報酬を再び求めるからです。「目標を達成すること」は、なかなか簡単には手に入らないので依存症には陥らないのですが、前述のものたちはお金を出せば、または身近にあるから、簡単に手に入ります。その刺激に慣れると、さらに強い刺激を求めるようになります。

もっとたくさんのもの、もっとおいしいもの、もっと多くの承認、もっと強い快楽、もっともっと……と次なる高みを目指します。そしてドーパミンが出ていない状態の脳を「つまらない」と感じてしまうのです。これはドーパミンの特性でもあります。

このドーパミンの暴走を調整するのが、セロトニンです。セロトニンはよく「幸せホルモン」と呼ばれるとおり、リラックス、穏やかさ、さわやか、明るい、気持ちがいい、前向きといった気分を感じさせてくれます。うつ病になるとセロトニンの分泌が落ちる、ということからもメンタルに影響が大きいことが理解できるかと思います。

セロトニンが分泌している時の体感は、「今ここにある幸せに気づく」という感じ。何かが手に入ったから、何かを達成したからといった、理由があるから感じる幸せとは違います。いつもの散歩道がキラキラと輝いて見えたり、家族に感謝の気持ちが湧いたり、今のありのまま、今すでにあるもの、存在しているものに対して幸せを感じられるのです。

現代の私たちは、「目標達成型のドーパミンの報酬こそが、喜び・幸せだ」と思い込みがちです。それは、成長と発展をベースにした目的・目標ありきの社会だから。

もしも普通の毎日が苦痛に感じたら、今の心地よさよりも先の達成感に視点を置き過ぎていないだろうか、自分のものさしではなく社会のものさしで頑張っていないだろうか、と振り返ってみて下さい。一番大事なのは、いつも精一杯頑張ってくれている自分のからだと「今、ここ」に感謝することなのです。

Step

3

私を整える

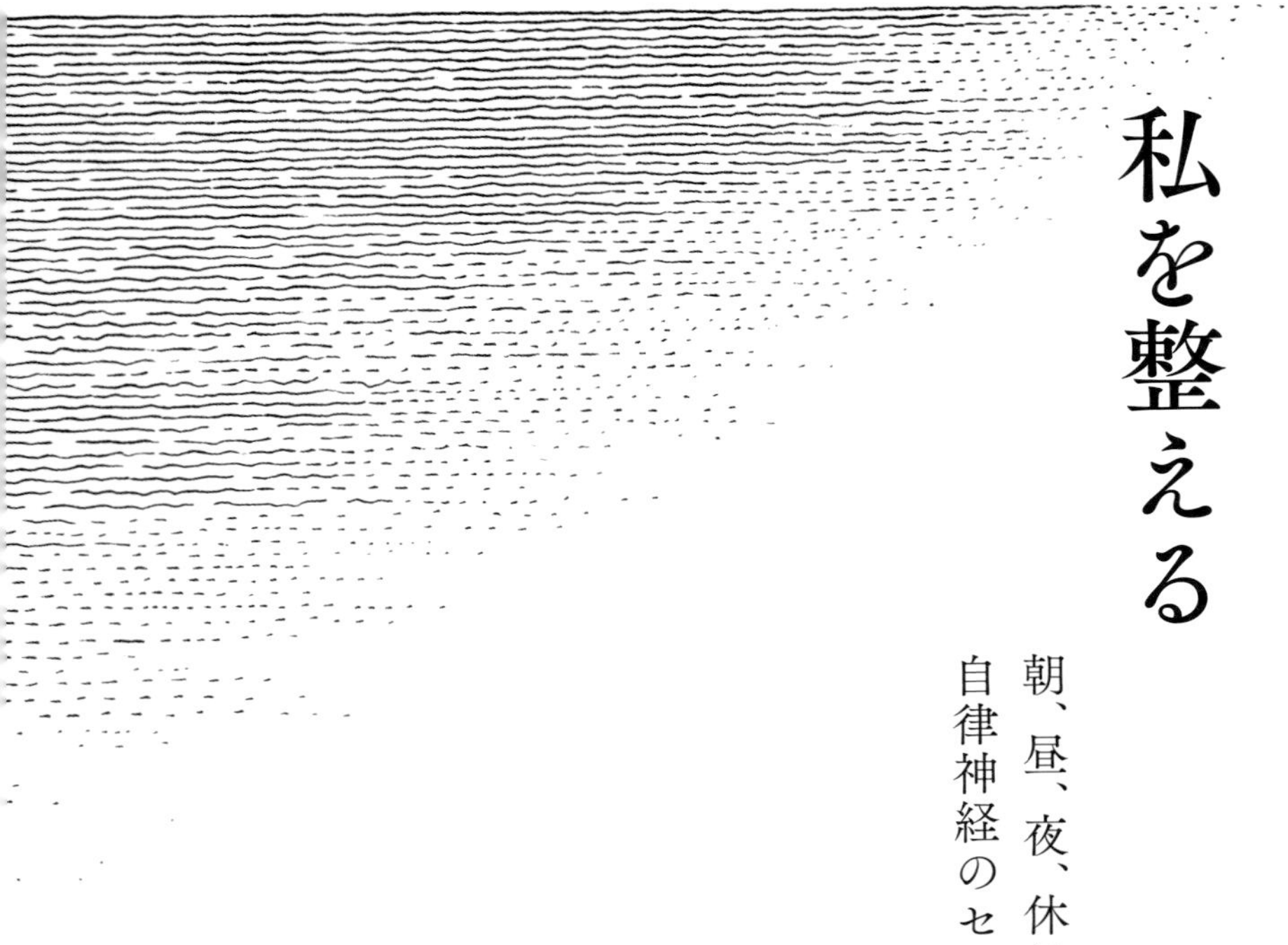

朝、昼、夜、休日に行う
自律神経のセルフケア

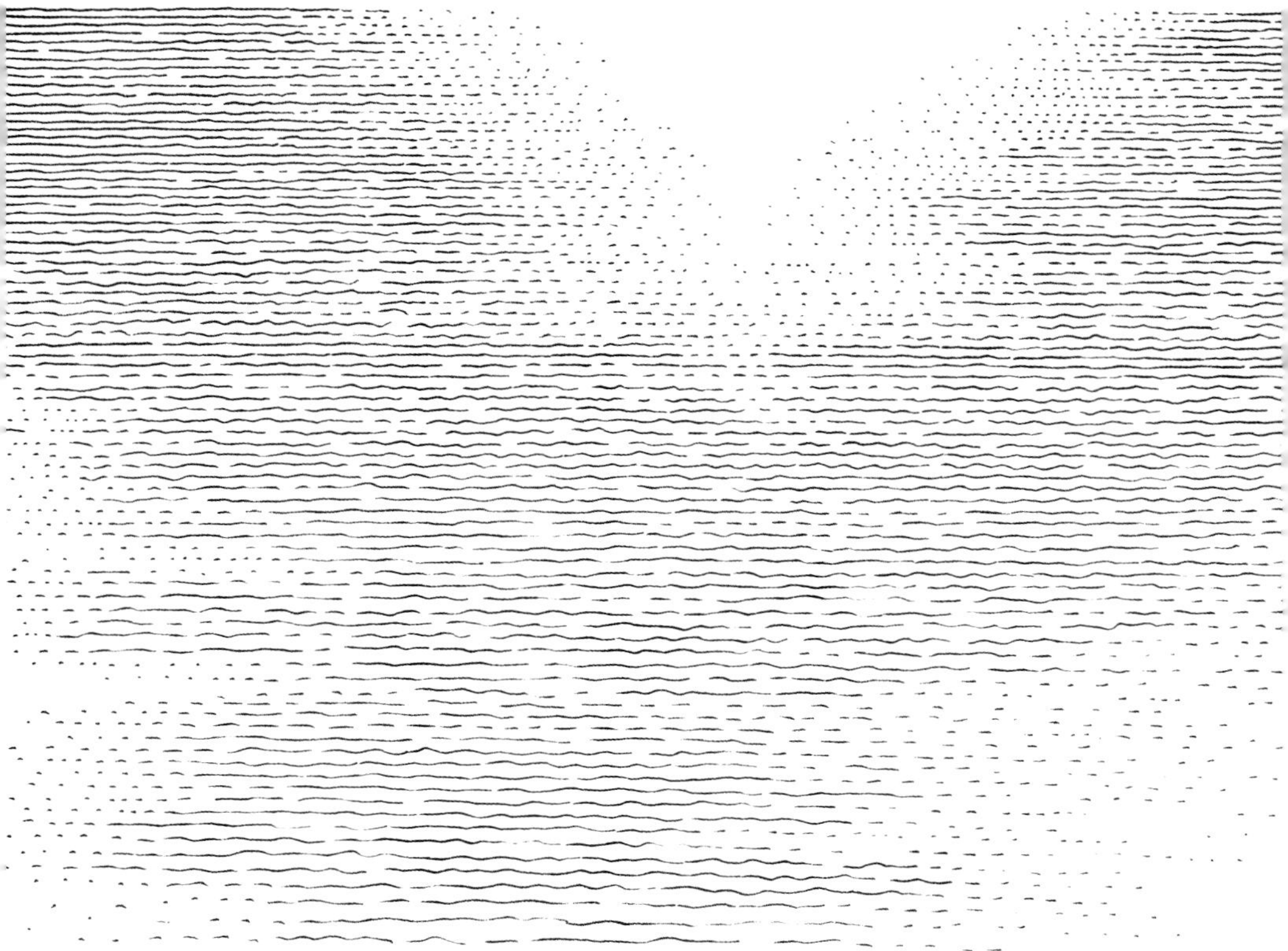

自律神経ケアの4原則
「植物」「光」「姿勢」「リズム」

この章では、体内リズムに沿って平日の朝・昼・夜・そして休日と、時間帯に分けた日々のセルフケアを具体的に紹介していきます。

Step1~2でお伝えしたように、自律神経をケアするためには4つの原則があります。

一つ目は、「植物」のちからを借りること。

動かない生物で在る植物は、外敵や過酷な環境から逃げることができません。そのため、それらに対抗できる成分を自ら作り出せるよう進化してきました。これが、ビタミンやミネラルの一部、ポリフェノールといった抗酸化成分です。植物には抗酸化成分が豊富に含まれており、それらには、私たちのからだを正常な状態に戻そうとするちから=自律神経を整えるちからがあります。

二つ目は、「光」を意識すること。

自律神経は体内時計と連動して動いており、この体内時計は私たちの全身に37兆個ある細胞全てに備わっています。細胞一つ一つの時計が狂ってしまわないように総指揮を取っているのが、脳の視床下部。そして、視床下部が楽譜のように基準にしているのが、太陽の光なのです。朝も昼も全く太陽の光を浴びない、夜になっても煌々と青白い電気の光を浴び続ける……という不自然な光環境は、体内時計、そして自律神経を乱す大きな原因となってしまいます。

三つ目は、よい「姿勢」を保つこと。

猫背、ストレートネック、巻き肩などの姿勢の悪さは、自律神経を乱す大きな要因です。なぜなら自律神経は、首の骨や背骨を通りながら内臓や器官に広がっているから。

また、長時間のスマホの使用は姿勢が悪くなるだけでなく、呼吸が浅くなり、交感神経優位の状態を作るため、自律神経を乱れさせます。ゆるめるには、姿勢と呼吸はセットで大事な要素です。

四つ目は、「リズム」を作ること。

自律神経は太陽の光と連動し、交感神経と副交感神経が全く別の働きを担当しながらバランスを保っています。起床と就寝、吐くと吸う、消化と吸収、活動と休息、それらが規則正しく行われるようにすることが、自律神経を整えるのにとても効果的です。

まずは植物療法で「ゆる活」を始める

自律神経ケアは、何はともあれまずは「ゆるめる」ことから始めます。仕事や家事がひと段落したオフの時間に行うゆるめるケアを、私の講座では「ゆる活」と呼んでいます。そしてこれは、ハーブや精油などを使った植物療法が得意とするところです。

花や葉のハーブの香り、樹木や樹脂の精油の香り。植物の香り成分が持つ、こころを柔らかくするちからにはすばらしいものがあります。これは、私たちがかつて森の中で暮らしていた記憶の名残りとも言われています。嗅覚はとても原始的な感覚で脳の中枢に位置し、記憶と紐づけられています。植物に囲まれて生きていた太古の記憶が私たちに安心感をもたらすのです。

精油の心地よい香りはセロトニン、エンドルフィンを脳内に分泌させます。これらは鎮静、多幸感、情緒の安定などに役立つ神経伝達物質です。ラベンダーやイランイラン、フランキンセンスやベルガモットなど、リラックス効果の高い精油は多種存在し、その時々に心惹かれる香りを選んで使用すると、本当にこころが変化するのを感じられるはずです。

また、ハーブティーにも同様の効果が期待でき、さらに様々に色づく透明感や、ゆっくりとゆらぐ花や葉の様子を眺めるだけでも、こころがゆるまるのを感じることができるでしょう。

「ゆる活」では、副交感神経優位の状態をしっかり作るために、まず夜の時間帯に次の３つのセルフケアを取り入れます。

・鎮静効果の高いハーブティーを飲む
・リラックス効果の高い精油の香りを嗅ぐ（ディフューザーを使う、お風呂に入れる）
・首、肩、頭を、ゆるめる効果のある精油をブレンドしたオイルでマッサージする

この３つで就寝までの時間をオンから急にスイッチオフにするのではなく、徐々にグレーのグラデーションを作っていくようにゆるめていきましょう。詳しいケアは「夜」の章（P.１６６～）で紹介しています。

いきなり３つが難しい場合は、ハーブティーを飲むことから始めます。ハーブティーには、こころへの鎮静効果、そしてからだへの鎮痙《ちんけい》効果（筋肉の緊張をほぐす）の両方があり、心身両面にやさしく働きかけます。飲む時は間接照明にするなど灯りをできるだけ暗くしましょう。

デスクワークやスマホの使用で、目の疲れや首、肩凝りの自覚症状が強いようでしたら、P.１７６の「蒸しタオルのケア」かP.１８７の「頭、首肩のマッサージ」を。どちらも目の疲

れ、首〜肩にかけての滞りを流し、血行を促進。頭が軽くなり、眠りの質を向上させます。

私がマッサージをする時は、いつもお風呂の電気を消して湯船に浸かりながら行っています(隣の洗面所の電気をつけておけばちょうどいい明るさで、手元もよく見えます)。この本の執筆中にうっかりマッサージオイルを切らせてしまい、3日間やらずにいたら、目の奥に少し痛みを感じました。いつも精油のちからで目の疲れを癒してもらっているんだな、と実感する出来事でした。

ケアを続けていると、肩の力が抜けて呼吸が深くなったり、心地よい穏やかな気持ちを感じるようになるはずです。ベッドに入る時に副交感神経にしっかりとスイッチが入っていれば、眠りは深く、質の良いものになります。入眠後90分が、心身にとってのゴールデンタイム。この時間に深く眠れると、成長ホルモンが分泌されて細胞の生まれ変わりや修復が行われ、日中に受けたダメージを回復します。

光とリズム運動には「ウォーキング」

自律神経ケアの4原則のうち、「光」「リズム運動」を効率的に実践できるのがウォーキングです。

私自身も真剣に取り組み始めて2年ほど経ちますが、
・朝起きるのが楽しみになった
・日中のからだが軽く、活動的になった
・気持ちがポジティブになって、小さなことが気にならなくなった
・歩いている最中に自然に口角が上がり、幸福感が湧いてくるようになった
・いつもの並木道や公園、普段の景色がキラキラと輝き美しく見えるようになった
・パートナーに寛容になった
・意味もなく、「大丈夫、なんとかなる！」という気持ちが湧いてきた
・見かける鳥や魚たちに、愛おしいような仲間のような親近感が湧いた
・夜の眠りが深くなった
・疲れにくくなった

など、その効果の大きさに驚くばかりです。

ウォーキングを始めたきっかけは、更年期でした。なんとなく以前より落ち込みやすい気がしたので、前々から気になっていたセロトニンを出す方法＝朝の光を浴びながらのウォーキングを真剣に実践してみたのです。

更年期になり、女性ホルモンのエストロゲンが減ってくると、幸せホルモンである「セロトニン」が出づらくなります。それが、イライラや気分の落ち込みとなり、ひどいと更年期うつにつながります。ＰＭＳの原因の一つもセロトニン不足と言われています。

もともと、ウォーキングやランニングは退屈で苦手だったのですが、今回は毎日30分続けてみました。歩き始めて10日くらい経つと、歩いているうちにだんだん気分が良くなってきて、いつもの景色が輝いて見えます。自然に口角も上がって、意味もなく前向きな気持ちに。さらに続けると、その気分になるまでの時間が短くなってきました。最初のうちは20分かかったのが、15分、10分と短縮されたのです。

こうなってくると、もう朝のウォーキングが楽しみでなりません。「行かねば」ではなく「行きたい」状態です。気分が軽やかなのはウォーキング中だけではなく、一日中続きます。朝から元気に動けて、疲れにくくなり、気分も安定。夜は早くから眠くなり、寝つきも良くぐっすり眠れるようになりました。

あまりの効果に興味が湧いて、セロトニン研究の第一人者である有田秀穂先生の講義を受講してみました。脳とからだとこころにどんなメカニズムで何が起きているのか。そこでわかったのは、「自律神経ケアには、〝朝のセロ活〟がとても効果的だ」ということです（そのメカニズムと方法は次の項でたっぷりお伝えします）。

実を言うと、ハーブや精油のちからは「ゆるめる」ことは得意ですが、活力を出す、からだを活発に動かす、心地よく交感神経のスイッチを入れるということに関しては、少し弱いのです。ローズマリーやユーカリなどでできないことはないですが、動かない生物である植物のちからは、運動に比べるとやはりパワーが違います。

そこを補完するのに、このセロトニンを出す活動「セロ活」は最適でした。植物のちからを使って「ゆるめるケア」と組み合わせることで、自律神経ケアのオンとオフが完成し、より効果が上がりました。

私自身の体験とセロトニンについて学んだことを生徒さんたちにも試してもらうと、全く同じように良い効果が表れました。そして、今までよりもさらに心身が整うスピードが上がり、不調が消えていきました。なおさら「人間は太陽の光を浴びて、からだを動かすことで精神的に健やかでいられるようにプログラミングされている」と理解しました。

「セロ活」の方法

夜によい睡眠を取るための準備は、朝起きた時から始まります。朝のケアは、「セロトニンを増やす活動＝セロ活」です（「セロ活」という言葉はセロトニン研究の第一人者、有田秀穂先生の本から拝借しています）。

セロトニンはP.70でも説明したとおり、気持ちを穏やかに前向きにする、別名「幸せホルモン」と呼ばれる神経伝達物質。セロトニンが脳内に増えると、

・交感神経のスイッチが入り、朝の目覚めがスッキリする

・前向きな気持ちになりやすい
・自律神経のバランスが整う
・姿勢や顔の表情が整う（姿勢筋や抗重力筋の緊張を上げる）
・夜の寝つきがよくなる
・気持ちが穏やかになる（アドレナリン、ドーパミンの暴走を抑え、バランスを取る）
・痛みが減少する（痛みを脳に伝える経路をコントロールする）
といった効果があります。

また、セロトニンは入眠ホルモンであるメラトニンの材料にもなります。メラトニンは、体内時計や光に反応して毎日増減を繰り返すのですが、朝太陽の光を浴びてから14時間後に分泌が始まり16時間後にピークを迎えます。ですから、例えば朝7時に太陽の光を浴びると21時くらいからメラトニンが分泌され始めて、23時に一番眠気を感じるというわけです。

強力な抗酸化物質（＝アンチエイジング物質）でもあるので、睡眠中にはからだの修復をより強力にします。

セロ活の方法はとてもシンプル。太陽光を浴びながら、5〜30分リズム運動に集中すること。ポイントは以下の①〜④のとおりです。

①太陽の光

体内時計を調節する意味では朝日（日の出から10時くらいまで）が理想ですが、セロトニン分泌だけのことを考えたら、日中の日差しでも構いません。照度が重要で、最低でも２５００〜３０００ルクス以上の明るさが必要。太陽光の照度は１００００ルクス以上、通常の電灯は５００ルクス以下です。雨でも曇りでも、外の光は十分な照度があるので、透明傘をさしてウォーキングに行くのも効果的。家の中では、直射日光が入る窓際でもＯＫです。

②時間

5分以上日光を浴びると、セロトニンが分泌され始めます。続ければ続けるほどセロトニンが分泌しやすい脳に変化するので、最初のうちは少し時間がかかるかもしれません。

毎日セロ活を続けると、約3カ月でセロトニンが分泌しやすい状態になる、と言われています。それは、「幸せを感じやすくなる」ということ。セロトニンは翌日に持ち越すことができません。その日のセロトニンはメラトニンに変換されます。ですから日々、セロ活をする必要があるのです。

ただ、朝は忙しいでしょうし、最初からハードルを上げると長続きしません。習慣化することが大切です。まずは1分でもいいから毎日セロ活をすることを目標に、時間は少しずつ増やしていってください。

③リズム運動

セロトニン活性のためには「歩行」「呼吸」「咀嚼」といったリズム運動が必要です。太陽の光を浴びながら運動を始めると、セロトニンの分泌が5〜30分ほどでピークになり、その後1時間半〜2時間ほど持続します。

昔は朝日とともに起き、外に出てからだを動かすのが普通の生活でしたから、特にそのようなことを心掛けなくても自然にできていました。ですが、今の私たちは外に出なくても生活できてしまうので、意識して取り入れる必要があります。

基本は外を歩くこと。簡単なリズム運動であり、脚を使うので頭優位になりがちな現代人のバランスを変えることにも役立ちます。

ウォーキングに行く時間や環境がない方は、呼吸を意識しながら、ヨガやP.115に掲載されているボディーワークを日が差す窓辺で行ってみてください。直射日光の入る窓がない場合は、ベランダや玄関先でもOK。呼吸法が得意な方は、座ったままのメディテーションでも大丈夫です。

朝日を浴びながらの朝食（＝咀嚼）もセロトニン活性には役立ちます。決してスマホを見ながらではなく、食べることに集中してください。

④リラックス

セロトニン分泌のためのウォーキングやボディーワークは、「リラックスして心地いい」くらいで止めておくことが大切。運動し過ぎて疲れてしまうとセロトニン量は低下するので、疲れ過ぎない「心地よい」と感じる程度の30分以内が理想的です。

また、車通りや人通りが多い緊張を感じる環境は、意識が外に向いてしまうため、セロトニン分泌にとっていい環境ではありません。理想は公園や並木道など、自然を感じられる場所。好きな音楽を聴きながら、楽しく歩くのもいいでしょう。ラジオなどの人の話は外側に意識が向いてしまうため向きません。

セロトニンはこれらの活動によって体質、年齢に関係なく誰でも分泌されます。セロ活の時間がないと、当然、分泌量は減ります。ですから、落ち込みやすいとか、クヨクヨしやすいとか、前向きになれないとか、これが自分の性格なんだ思い悩んでいたことも、実は「セロトニンが足りていないだけ」かもしれません。

自律神経と姿勢

姿勢の悪さによる背骨の歪み、そこからくる自律神経の乱れへの影響はとても大きいものです。食養生や冷え取りなどいろいろな健康法を試しているけれど、なかなか不調が良くならないという方は、「フィジカル面の歪みの可能性」を考えてみてください。

特にデスクワークや長時間のスマホ使用で猫背になり、首が前に出るストレートネックや、巻き肩という人がとても増えています。このような姿勢は呼吸が浅くなり、浅い呼吸は交感神経優位の状態をつくります。その状態が続くことでからだは緊張状態を強いられ、こころもゆるむことができず、自律神経が乱れるという結果に。

自律神経を整えるのに「呼吸法」はとても大きな力がありますが、からだがこわばったままでは、物理的に深い呼吸はできません。呼吸をするための筋肉が硬くて動けないのです。どうしても浅い呼吸しかできない、呼吸が苦しい、長く息を吐こうとしてもからだがついていけないという方は、からだをほぐし歪みを整えて、深い呼吸ができるからだにする必要があります。

とはいえ、いろんなクセがついてしまった現代人のからだは、いざ、いい姿勢をとろうと思っても、腰が反ったり、肩に力が入ったりして、果たしてどの姿勢がいい姿勢なのか、わからない人も多いかと思います。いい姿勢は、「本来使うべき筋肉を使い、必要のない場所は力が抜けている」という状態です。

立っている時、歩いている時、呼吸をする時、その行動にふさわしい機能と仕組みが私たちの肉体には備わっています。立っている時には、抗重力筋という重力に抗う筋肉を無意識に使うのが、一番ラクで美しい姿勢です。寝ていることしかできなかった赤ちゃんが、お座りができるようになったり、立ち上がることができるようになるのは、この抗重力筋が発達してくるからです。教えなくても、その部位を発達させる動きを順番にしたくなるようにプログラミングされている私たちのからだは見事です。

ところが、座る時間が長くなったり、使う筋肉が偏ったりするうちに、だんだんエラーが出てきます。

例えば、立つ時に本来使う背中側の脊柱起立筋《せきちゅうきりつきん》、広背筋《こうはいきん》を使わずに胸の前の筋肉を使う。歩く時にインナーマッスルである腸腰筋《ちょうようきん》やお尻の筋肉の大臀筋《だいでんきん》を使わずに、ひざから下だけで歩く。呼吸をする時に肋間筋を使わずに首の筋肉を使う……というように、本来プログラミングされている動きと違う動き、姿勢に変わってしまうのです。

それらは本来機能すべき部位ではないので、よりエネルギーが必要で疲れます。呼吸も浅くなります。重心の位置が変わり、姿勢が崩れ、からだ全体のバランスが乱れます。

姿勢を整えるには、私たちに長年染みついてしまったクセを修正して、使うべき筋肉が使われるように修正することが一番の近道なのです。

本書で掲載しているボディーワークは、そのためのシンプルな運動です。私のパーソナルトレーナーであり治療家の小林祐一氏に監修していただき、朝、昼、夜にふさわしいワークを、それぞれ2種類ずつ教えていただきました。からだが硬い人でも無理なくできる簡単なワークで、姿勢改善にとても効果があります。

実は、小林氏と出会ったきっかけは、朝のウォーキング同様、更年期でした。

前著を書き上げた２０２０年、私は50歳になりました。一般的に45歳～55歳が更年期世代ですから、年齢で言うと真っ只中です。

更年期は、思春期と同じように誰にでも訪れます。その時期に出る不調を「更年期症状」と言い、それが日常生活に差し支えるほどにひどい場合「更年期障害」と呼ばれます。ケアのおかげか40代後半までは特に不調のない日々でしたが、50代に入りさすがに今までにない症状を感じるようになりました。

具体的には、首、肩の凝り、急な冷え、寝汗、疲れやすさ、気分の落ち込み、生理の出血量の増加など。年齢的に仕方がないと思っていましたし、ハーブや精油などを使って対処すると良くなる。日常に支障があるほどでもないので、そのままケアしながら過ごしていました。

けれど仕事が忙しくなり、セルフケアが追いつかなくなると肩凝りがひどくなり、ある時、激痛で腕が上がらなくなりました。整形外科で診てもらうと、結果は五十肩。さらにお医者様から「ストレートネックがひどくなって、ヘルニアになってるよ」と言われました。どちらも初めての病名で、特に頸椎《けいつい》ヘルニアは、かなりショックでした。でも、最近の首、肩の凝りのひどさを考えると「なるほど」と変に納得もしました。

すぐに改善方法を探すなかで出会ったのが小林氏でした。理学療法の現場でリハビリを担当した後、自身のスタジオを開き、多数のアスリートのトレーニングも担当されているトレーナーさんです。

そこでフィジカル面からのからだの仕組み、正しい筋肉の使い方を一から学習した結果、2ヵ月でストレートネックが改善。巻き肩で首が前に出た姿勢だったのが、背筋のS字カーブがきれいに取れる美しい姿勢に変わりました。そして驚いたことに、姿勢が整った途端、更年期の症状が（体感としては）9割なくなったのです！

更年期症状は、女性ホルモンの急激な減少にストレスを感じている自律神経の乱れですから、「自律神経失調症」であるとも言えます。年齢によるホルモン量の変化は自然の摂理なので逃れられませんが、それにプラスして自律神経を乱す要因があると、症状は強くなります。私の場合は、「首と背骨の歪み」が加わったことで自律神経が乱れ、更年期症状が出たのです。姿勢改善は更年期症状をも救う。これは大きな発見でした。

自律神経と呼吸

姿勢が整うと、自然と呼吸が深くなります。呼吸が深くなると自律神経が整います。まさに「健全な精神は、健全な肉体に宿る」です。

「吸う呼吸」は交感神経が、「吐く呼吸」は副交感神経が支配しています。深呼吸する時のように深く長く吐くことで副交感神経を優位にすることができます。

気持ちが緊張している時や焦っている時に呼吸だけは深くゆっくりしている、ということはありません。また反対に、こころが深くリラックスしているのに呼吸が早くて浅い、ということもあり得ません。

これは普段私たちが使っている言葉にも、うまく表現されています。例えば「ハッとする」「ギョッとする」など、驚きや恐怖を感じた時の擬音は息を吸う音です。実際に、私たちが驚いたり怖さを感じたり緊張した時には、息を吸う、または止めていることが多いでしょう。そしてそのような時は、自律神経も交感神経優位になります。

対して、「ホッとする」、笑い声の「あはは」という音は、息を吐く音です。ちょっと休憩するという意味の「ひと息つく」も「大きく息を吐く」イメージです。実際に安堵した時、笑っている時、休憩する時、私たちは大きく息を吐いています。そして副交感神経が優位になります。

このように、心身の状態と自律神経、呼吸は必ず連動しているため、「呼吸を意識的にすることで、無意識下の自律神経に介入する」ことができます。呼吸は、意識と無意識をつなぐ架け橋なのです。

意識的に呼吸をする「呼吸法」は、古来よりヨガや仏教、気功やあらゆる武道、格闘技などでも重要視されています。からだのパフォーマンスを最大限に発揮するのには、呼吸のコントロールが欠かせません。

呼吸法を取り入れるにあたって、「呼吸のできるからだ」にほぐしておくことが必要だというのは前述したとおり。特にデスクワーカーの方は、脇腹が固まって横隔膜が動きづらくなっているので、ボディーワークもセットで行ってください。

からだの準備が整っているかどうか確認する方法は、脇腹、肋骨の下部、左右それぞれに手を当ててみます。親指は背中側、ほかの4本の指はおなか側に回るようにします。そのまま大きく息をすると、吐く時には肋骨が縮み、吸う時には膨らみます。この時に肋骨の前側だけでなく、横と後ろも一緒に広がったり縮んだりしているかを確認してください。

前、横、背面がまんべんなく動いていれば横隔膜で呼吸ができているということ。準備はOKです。おなかしか動いておらず、横、後ろがほとんど動いていない場合は、横隔膜や肋間筋（肋骨と肋骨の間を走行する呼吸筋の一種）が凝って硬くなっています。

特に、長時間デスクワークをしている人、同じ姿勢をとり続ける人、スマホばかり見て運動不足の人は固まりやすい部分。この状態では深く呼吸をすることができませんし、無理に呼吸をすると肩や首の筋肉を使ってしまい、より首、肩凝りを強めてしまう原因になりかねません。その場合は、この本に掲載しているボディーワーク（特にP.115）を行うか、側屈をするだけでもほぐれることがあります。焦らず、肋骨周りをほぐすことから始めましょう。

準備が整ったら、「長く吐く」ことを意識します。背筋を伸ばして座り、「8秒吐いて4秒吸う」をゆっくり繰り返します。電車の中やデスクで3～5分行うだけでも、こころが落ち着き、頭がスッキリするはずです。夕飯後～夜寝る前に取り入れるのもおすすめです。

吐く時も吸う時も「鼻呼吸」が基本ですが、鼻から吐くのが苦しく感じるようでしたら、最初のうちは口から吐くのでも大丈夫。慣れてきたら徐々に鼻から吐くようにしてみましょう。ただし、吸う時は鼻からにしてください。

P.191の呼吸のワークも役に立ちます。呼吸法に加えてメディテーションの要素も取り入れていますので、「今、ここ」に集中する練習になります。

「呼吸法」は、お金もかかりませんし、場所も関係ありません。練習すれば練習するほどうまくなります。そして、意識的な呼吸が深くなることで、普段無意識にしている呼吸も徐々に「いい呼吸」に変化していきます。現代に必要なライフハックとして、ぜひ取り入れてみてください。

自律神経を整えるための食事

それから食事についても考えることも、自律神経ケアには必要です。よく生徒さんから「どんな食事法がいいですか」と聞かれることがあります。けれど、食事法の前にまずは「食事に集中し、ゆっくり味わう」ということを気にかけていただきたいと思います。

仕事をしながら食事を取る、おなかが空いてないのに食事の時間だから食べるといった方も多いのではないでしょうか。しかし、からだの声を聴かずに食事を取ることは、胃腸が動いていないのに食料を送り込むということ。栄養素は吸収されず、消化器系の負担になるだけです。

食事において大切なのは、「三食決まった時間にきちんと食べること」、「必要な栄養をバランスよくしっかり取ること」です。もしかしたら、あまりにも当たりのこと過ぎて少しがっかりされたかもしれません。けれど、ここ数年、食とからだのことを学び直して基本の大切さを改めて実感しています。忙しい、時間がない、タスクが多い、外に意識が向きがち、といった現代において、これらはよほど意識していないとクリアできないのです。

先述したように、消化器系と自律神経というのは、とても密接な関係があります。「毎日同じ時間に食べ物が胃の中に入り、消化が始まる」。このルーティンを繰り返すことで体内時計が整い、自律神経も整います。
P.86で、「体内時計のズレを修正するには、太陽の光を浴びて調整が必要」とお伝えしましたが、その調整役を担うのが食事のリズム。三食を同じリズムで食べることで、規則的におなかが空くようになります。これは、体内時計に従ってからだが消化吸収の準備ができるということなので、からだに負担がありません。
とはいえ、何かに追われていると、からだの声を聴くことが難しい場面があります。消化にかかる時間を考えると、一食ごとの間隔は最低でも5時間は空けたいところです。

三食のなかで朝食は、からだの目覚めを担います。よく朝食を抜く人がいますが、一日二食になると昼食の量が多くなり、胃腸に負担がかかりやすく、おなかいっぱいでは仕事もはかどりません。また、食事量が少ないと、ついお菓子などの間食に手が伸びがちに。

実を言うと私自身も、長年、朝食を抜いた生活をしていました。自然療法においては、午前中は排泄の時間という考え方があり、何しろ現代人は食べ過ぎの傾向にありますから「完全に空腹の時間があった方がいい」と思ってのことでした。

ですが、ここ数年は基本に還って、朝食を食べる生活にシフトしました。最初は全くおなかが空かないので、味噌汁だけやゆで卵一つから始めました。それでも食べないよりもずっとましです。まずは「同じ時間に何か食べ物をからだに入れる」ことをからだに記憶させます。

また、以前は夕飯のボリュームが一番あったので、昼の品数や量を増やし、夜は控えめにチェンジ。すると、寝ている間の消化負担が軽減され、朝起きた時にからだが軽く、おなかが空いている日が増えてきました。さらにうれしいことに、肌の張りやツヤもアップ。単純に、食べる量が増えて、からだの中に取り込まれる栄養素が増えたのでしょう。

胃腸の具合があまり良くない、食欲がない、胃もたれする、胃痛がある人は、無理をせず一食の量を少なくしてスタートしてください。


また、現代は飽食の時代です。食べることに不足はなくても、「質的栄養不足」に陥りやすい面も持っています。からだを健やかに保つのに必須の栄養素、ビタミンやミネラル、タンパク質が足りていないのです。

その理由は様々ですが、戦後の栄養学や食に関する考え方がカロリーベースで、「栄養を取る＝カロリーを取る」と考えられがちなこと。忙しくて、ファーストフードやコンビニがメインになり、手軽に取れる炭水化物メインの食事が増えたこと。逆に、健康志向が高まって動物性タンパク質や油を避けて野菜ばかりになってしまい、タンパク質や鉄分、亜鉛などの必須ミネラル、良質な脂質が不足したことも原因として考えれられます。

栄養はこころにも影響します。心身に不調がある人は、日頃食べるもののバランスについても見直す必要があります。

糖質過多を見直す

現代の私たちの食生活で偏りやすいのが「糖質」です。それも白い小麦や白米などの精製された糖質。

例えば、ある日の食事が、朝食／食パンとヨーグルト、昼食／パスタとミニサラダ、夕飯／ご飯、味噌汁、おかずの和定食だとします。この日の栄養素の比率は炭水化物が6～7割、野菜、タンパク質がそれぞれ1.5～2割ですが、煮物に砂糖を使ったり、おやつに焼き菓子や煎餅などを加えたりすると、簡単に炭水化物は7～8割にアップ。糖質オーバーとなります。そして、野菜や豆、肉、魚は少ないので、健康を維持するために必要なビタミン、ミネラル、タンパク質が足りていません。

糖質はすぐにエネルギーに変わるので、食べた時に脳が喜びを感じますし、確かに必要な栄養素です。ですが、精製された糖質の取り過ぎ、三食食べずに欠食して急に糖質を取る、早食い、野菜不足、運動不足は、血糖値の乱高下を引き起こし、動脈硬化、老化、自律神経の乱れ、不眠につながります。

パンやパスタ、おにぎり、うどん、ラーメンなどの炭水化物メインの食事が多い、さらにおやつも糖質のものを食べる、1日2食しか食べない、からだもあまり動かさずデスクワークが多いなどの方は要注意です。

食後の眠気が強い、イライラしやすい、すぐにおなかが空く、疲れやすいなどの症状は、もしかしたら血糖値スパイクが起きているかもしれません。

このような血糖値の乱高下を起こさない食べ方は、

・三食規則正しく食べて食事時間を空け過ぎない
・毎食野菜やタンパク質をしっかり食べる
・玄米や分つき米、雑穀、全粒粉やライ麦などの未精製の炭水化物を取る
・先に野菜、タンパク質を食べてから炭水化物を取る

の4つ。つまり「三食バランスよく食べる」ということです。

また、食前に桑の葉茶を飲むと、血糖値の急上昇を防いでくれます。

糖質過多とは逆に、糖質オフの食生活を実践されている方も多くいます。けれど、糖質はエネルギー源。極端に制限すると、たまに食べた時にここぞとばかりに吸収しようとして太りやすくなり、血糖値の上がり方も激しくなります。「何事もバランスよく」が一番です。

糖質の適量は運動量や年齢によって変わりますが、健康な成人女性なら、毎食ご飯茶碗一杯くらいが目安です。

意外と多い「タンパク質不足」

講座の生徒さんたちによく見られる、健康志向が強いが故のタンパク質不足、鉄分不足についてもお話ししたいと思います。野菜はたくさん食べていて品質にもこだわってるけど、肉魚卵などの動物性タンパク質や鉄分が少ないパターンです。実は私自身もこのタイプで、食についてしっかり学び直して反省した点でもあります。

タンパク質は私たちのからだの材料、そしてエネルギーとしても活用される重要な物質です。人体のおよそ60%は水分で、残りの40%がタンパク質です。筋肉や骨、皮膚、髪、爪、それからホルモンや神経伝達物質、酵素、抗体など全てタンパク質からできています。

ですから、タンパク質が不足していると見た目に影響があるばかりか、メンタルや免疫力にも影響があります。

タンパク質、鉄分が不足しているサインとしては、

肌や粘膜が弱い、髪がぱさついている、めまい、爪が割れやすい・反っている、消化力がない、疲れやすい、イライラしやすい、冷え症、生理不順

などがあります。女性の場合は毎月生理があるので、どちらもしっかり取りたい栄養素です。タンパク質は一回の吸収量に限りがあり、体内に貯めて置けないので、一度にたくさん取るのではなく、1日数回に分けて少量ずつ取る必要があります。目安としては、毎食手のひら一枚分くらい。おやつとして、ゆで卵や小魚、質のよいチーズを食べるのもいいでしょう。

鉄分はどうしても赤身肉が多くなりますが、マグロやカツオなどの赤身の魚、アサリやしじみ、焼き海苔、青のり、レンズ豆、納豆、小松菜などでも補給できます。また鉄瓶や鉄のフライパンなどの調理器具を使うことでもプラスできます。

肉料理が控えめな人は、消化力が弱い傾向にあります。消化液はタンパク質から作られるからです。

とはいえ、肉料理が苦手な人、胃腸の弱い人が急に改善しようと思っても、からだに負担をかけてしまうだけです。そこでおすすめなのが、タンパク質の豊富なスープ。カツオ出汁やいりこ出汁、骨つき肉のスープ、豆の入ったスープを毎日飲みましょう。

消化の助けになる以下の食材も併せて取りたいところです。ただし、どの食材も過熱してい

ない「生」の方が消化酵素は働きやすいので、できるだけ生で取りましょう。

・**タンパク質の消化を助ける食材**：ショウガ、玉ねぎ、パイナップル、パパイヤ、キウイ、りんご、いちじく

・**炭水化物の消化を助ける食材**：大根、キャベツ、山芋、ショウガ

・**油の消化を助ける食材**：アボカド、大根、山芋、カブ

また、麹を使った発酵食品は、タンパク質、炭水化物、油などの消化を助けます。そういう意味では、日本人に慣れ親しんだ味噌汁は最強ですね。

ハーブティーでいえば、ジャーマンカモミール、レモングラスやレモンバーム、ペパーミント、レモンバーベナなども有効です。とはいえ、食事中に水分を取り過ぎると胃酸を薄めてしまい、消化力が落ちることも。スープや味噌汁など汁物があるのでしたら、ハーブティーは食事の前後に飲みましょう。

自律神経と腸は相関関係

腸内環境を整えることは、今や健康のための常識。「腸脳相関」という言葉がある通り、脳と腸はつながっています。腸の動きを支配しているのは自律神経ですが、自律神経は腸の影響を受けやすく、情報は双方向。単純な主従関係ではないことが最近はわかっています。また、セロトニンの9割は腸内で作られているため、腸内環境が乱れると精神的にも影響があります。

腸内環境が悪くなると、悪玉菌が優勢になり腸内の粘膜が炎症を起こします。こうなると栄養の吸収が悪くなり、体内に入れたくない添加物などを取り込みやすくなって、セロトニンや免疫細胞の働きが悪くなります。便秘、下痢だけでなく肌荒れやアレルギー、免疫力の低下、メンタル不調の原因につながります。

腸内が良い環境がどうか、一番わかりやすいサインは「便の状態」です。硬過ぎず柔らか過ぎず、色は黄土色〜茶色でバナナ状。そんな便が毎日1〜3回出れば、とても良い状態のサインです。硬い、コロコロ、焦げ茶や黒に近い色、逆に軟便や形のない便、色が極端に薄い、また排便の回数が数日に一回の便秘は、改善が必要です。

ゲップや胸焼け、おなかの張り、ゴロゴロ、おならの増加、頻繁な腹痛なども胃腸からの

ＳＯＳサイン。早めに改善したいところです。

Ｓｔｅｐ１でもお伝えした通り、消化の働きは副交感神経の領域。リラックスする時間がなければ、食べたものがうまく消化されません。未消化の食べ物が腸に届くと、腸内環境は悪くなってしまいます。ですから、「リラックスする時間をしっかりとる」というのが、まず大切。それには、夜のケア（P.166〜）が全て役に立ちます。

自律神経が原因の便秘や下痢に関しては、前述のケアをしただけでスルッと改善される方もいます。でも、長年の生活習慣からくる腸内環境が原因の場合は、食事も改善する必要があります。炎症を引き起こしやすい食べ物は、小麦粉、サラダ油、オメガ6系の油、トランス脂肪酸、保存料、化学調味料などの添加物、抗生物質、過剰な糖分です。これらはなるべく避けましょう。

また、食事で整える方法のポイントは、次の4つのいずれかを毎日取ること。これら全てが腸内細菌の餌となり、善玉菌、日和見菌《ひよりみきん》（腸内の環境の状態によって善悪どちらにもなりうる菌）、悪玉菌のバランスを整えてくれます。

・**不溶性食物繊維**：便の材料となり、腸内のゴミをかき集めながら排出されるので、良い腸内環境と毎日の排便のためには必要。いわゆる野菜の筋で、ゴボウやキャベツ、大根など繊維質の多い野菜を思い浮かべていただくと理解しやすいでしょう。便の量が少ない、回数が少ない人は、野菜の量が足りてない可能性があります。ごはんに雑穀を混ぜたり、分つき米、玄米にするのも良い方法です。

・**水溶性食物繊維：**水に溶けるタイプの食物繊維。海藻類やオクラ、モロヘイヤ、山芋などのネバネバしたものに多く含まれます。水溶性食物繊維は便を柔らかくしたり、つるりと滑らかに排出するのに役立ちます。また、粘膜の奥に入って不要物を回収し、粘膜の保護をしてくれます。

長年便秘がちな人のなかには、「野菜を一生懸命食べても便秘が改善しなかった」という人がいます。その原因は、水溶性食物繊維が足りていないことがほとんど。ただ、これらを毎日たくさん摂取するのは難しいので、ハーブを活用します。ゴボウ、桑、ダンディライオン、ローズヒップなどのハーブは水溶性食物繊維がとても豊富で、便を柔らかくしてスルンと出しやすくする作用があります。2〜3種をブレンドして、1日に500㎖〜700㎖程度飲んでみてください。水分量も増えて一石二鳥です。

・**オリゴ糖：**乳酸菌など善玉菌だけの餌になるので、効率よく腸内の環境を整えることができます。オリゴ糖が多い食品は、玉ねぎ、はちみつ、バナナなどです。

・**発酵食品：**味噌や醤油、みりん、納豆など。ただ、スーパーで一般的に売られているものは伝統的な製法ではなく、添加物が使われていたり発酵度の低いものがあります。ぜひ、昔ながらの方法で作られた本物の発酵食品を取り入れてください。多少値が張るかもしれませんが、その価値と恩恵を考えたら安いものですし、何より料理がとてもおいしく仕上がります。

食べるものの種類が多ければ多いほど菌の多様性が増えるので、季節のものをまんべんなく食べるのが大切です。タンパク質は必要ですが、肉ばかりだと悪玉菌が増えやすいので、やはり「まごわやさしい」の和食を基本としていただくのが、腸内環境のためにもベスト。この後にご紹介するレシピも、全て腸内環境に良い食事です。合わせて参考にしてください。

自律神経ケアは「毎日のちょっとずつ」が大切

ここまでお伝えしたとおり、私たちの考え方やライフスタイルが自然とかけ離れて複雑になるほど、自律神経のリズムは乱れます。そう言うと、現代文明を捨てて山にこもらないといけないのか、と思ってしまうかもしれませんが、そうではありません。あまりにも極端に振れてしまったバランスを、もう少し真ん中に戻すだけで大丈夫。

人間が生きるために必要なのは、「細胞に必要な栄養をしっかりと食べること」「使うべき筋肉を正しく使って動くこと」「ぐっすり眠って、からだを回復させること」「深い呼吸で酸素をたっぷり取り込むこと」だけです。とてもシンプルなことですが、その質を意識的に上げていかなければ、不調はずっと続きます。

手に入りづらい高価な食材で凝った料理を作ったり、食べたくもないものを我慢して食べたり、毎日キツい筋トレをしたり、高価な枕やマットレスを購入したり、難しい呼吸法をしたりする必要はありません。

日常の中でほんの少し意識を変えるだけで、体調は大きく変わります。自律神経を維持するのは、毎日の積み重ねです。それは、どんな名医でも薬でも、セラピストでもできません。24時間365日ストレスと隣り合わせだからこそ、日常生活の中で実践できるセルフケアが必要なのです。

「1週間に一度、1時間頑張る」よりも、「3分でいいから、毎日やる」をおすすめします。なぜなら、「たまの頑張りよりも、毎日のちょっとずつ」の方が、ずっとからだに変化を起こすから。これは、今まで何百人もの生徒さんを見てきて、そして自分自身の体験も含めて実感していることです。

習慣化するには、まずは簡単なことからやってみます。「1分やる」を3週間続けると、心地いいと感じられる時間が長くなり、逆に「やらないと気持ち悪い」と感じてきます。

今まで全くやっていなかった人が、いきなり朝30分のウォーキングから始めたら、継続することの方が難しいでしょう。最初はベランダや窓辺で朝日を浴びながら1分だけ伸びをする、ちょっとゴミ出しのついでに近所を一周してみるのでもＯＫ。実際、同じような経緯を経て、ほかの人にもすすめるほどに変わった生徒さんが大勢います。最初から完璧なケアを目指さず、できた自分を褒めながら、楽しんでみてください。

この後に紹介するのは、朝昼晩それぞれの時間帯に適した心身にするための簡単な自律神経ケアです。自身のライフスタイルに無理なく取り入れられることから始めてみてください。

朝のセルフケア

快眠やセロトニンの分泌には、
朝のケアが大切です。
「セロ活」で、本来の体内リズムを
取り戻しましょう。

からだの機能を整える朝のボディワーク

朝、目覚めたからだをやさしくほぐしながら背骨のカーブを修正し、その日の動きをスムーズにする。そのための簡単なボディワークを2つご紹介します。P.115～のやり方を参考に、朝ベッドで目覚めたら、寝たままの姿勢で行います。

ボディワーク①股関節の詰まりを取り、骨盤を締める

デスクワークが長かったり、歩く時間が短かったりすると、股関節が詰まって硬くなります。脚の付け根が重く感じる、脚がむくみやすい、冷えやすい、腰が痛くなるといった症状は、股関節の詰まりが原因のひとつ。

股関節は骨盤と脚の骨の接点です。ここが詰まると、骨盤が前や後ろに引っ張られて傾いてしまい、傾いた骨盤から積み上がる背骨も歪んでしまいます。背骨のスタート地点がすでに歪んでいたら、肩の位置、首の位置も整いません。骨盤が前傾や後傾していると、ぽっこりおなかや反り腰になって腰痛の原因にもなります。

このボディーワークはとても簡単でシンプルな動きですが、①股関節の詰まりを取る ②骨盤をニュートラルな位置に戻す ③上半身と下半身をつなぐ腸腰筋というインナーマッスルにスイッチを入れる ④骨盤を締める、ということを一気に叶えてくれます。

ニュートラルなポジションに戻った骨盤がインナーマッスルでしっかりと支えられるため、ももの骨（大腿骨《だいたいこつ》）の動きもスムーズに。ここの詰まりが取れると、下半身の血液やリンパ液の流れも良くなり、冷えやむくみの解消にもつながります。

ボディワーク②肩甲骨《けんこうこつ》を引き寄せ、背中にスイッチを入れる

骨盤の位置をニュートラルに戻した後に行うワークです。日常生活の中で、腕を後ろに引くよりも前に出す動きの方が多いので、どうしても肩甲骨は前に引っ張られ、その周りの筋肉も広がって前に丸くなります。結果、猫背になり、胸が閉じて首も前に出て、首や肩の凝りの原因に。

そうなる前に、肩甲骨を背骨側に寄せて、菱形筋《りょうけいきん》という背骨と肩甲骨をつなぐ筋肉にスイッチを入れます。この動きを繰り返すことで、凛と背筋の美しい姿勢を保つことができます。

この2つのワークは、朝だけでなく仕事の後や寝る前にもおすすめです。

骨盤が前にも後ろにも傾き過ぎず
ニュートラルな位置にあり、その
上に背骨がひとつずつ積み重なる
と自然ときれいなS字カーブを描く。
そのまま頭頂までつながると、首
にも負担なく美しい姿勢に。

朝のボディワーク①

股関節の詰まりを取り、骨盤を締める

1.

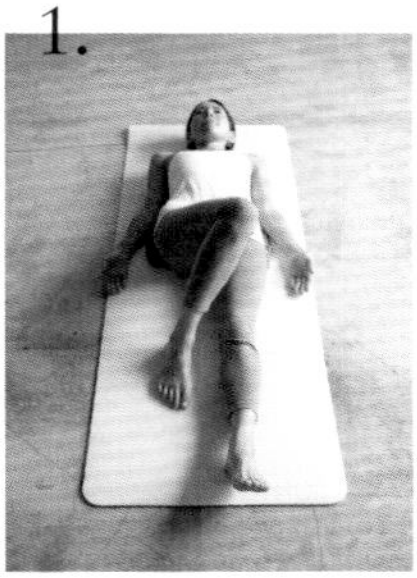

ヨガマットやベッドの上にあお向けに寝る。右脚の膝を曲げ、時計の10時方向に左側に傾ける。骨盤が動かないように、腰の下にフェイスタオル（縦に四つ折りにする）を入れるとよい。

2.

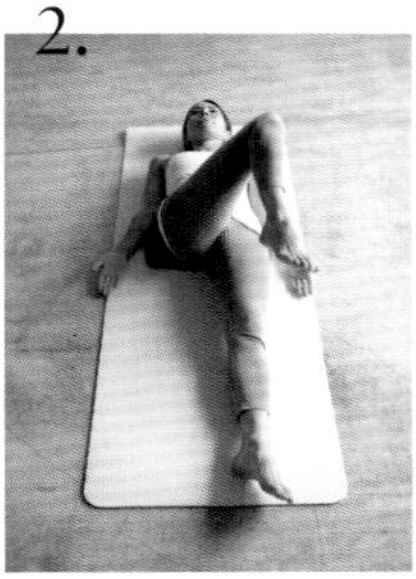

右膝が12時の位置を通るように弧を描きながら、なめらかに右側に回す。

3.

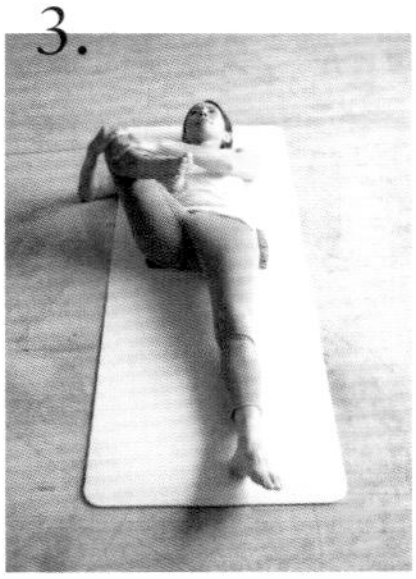

膝が2時の位置に来たら膝を両手で抱えて、股関節を伸ばすように右にグッと引く。この時に口から息を「ふぅー」と深く吐く。左脚も同様にし、左右10回ずつ繰り返す。どの動きも力を入れずに。

朝のボディワーク②

肩甲骨を引き寄せ、背中にスイッチを入れる

1.

ヨガマットやベッドの上に右向きに寝る。頭はクッションや丸めたタオルを入れて、首が床と平行になるように固定する。

2.

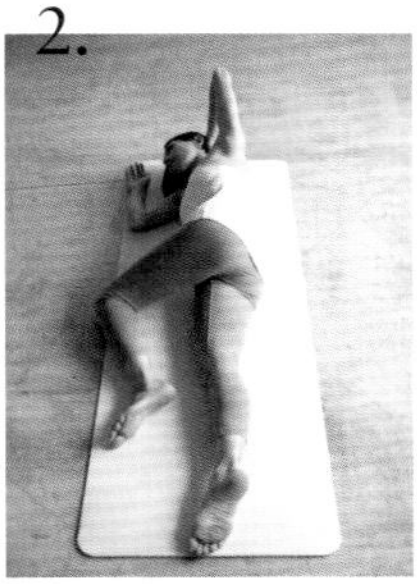

左脚を曲げ、右脚はまっすぐに伸ばす。その状態で左手を頭の後ろに添える。左脚の膝の下にクッションなどを入れてもよい。

3.

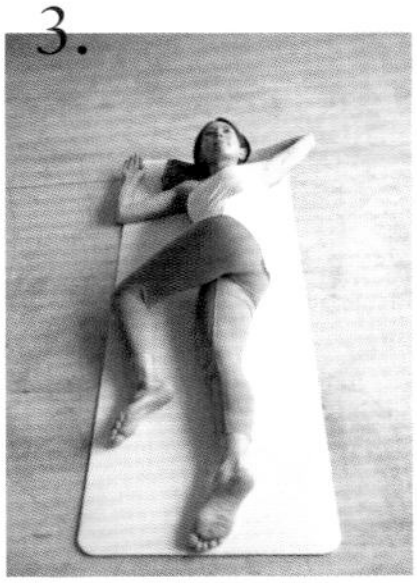

鼻から息を吸いながら左腕だけを後ろに動かす。肩甲骨の筋肉が背中の真ん中に寄った感覚を覚えたら、肩から腰までを左側に広げる。口から息を吐きながら腕を戻す。反対側も同様に。左右10回ずつ繰り返す。

朝のウォーキングは効果絶大

ウォーキングがセロ活の中でも一番のおすすめだということは、P.82にご紹介したとおり。朝日の登る時間から朝10時までの間に、20〜30分間歩きます。足を使うことで頭ばかりに比重がいきがちな生活のバランスを取り、精神的にも地に足がついてきます。

また、有酸素運動なので、ダイエット効果、高血圧や高血糖などの生活習慣病予防・改善にもなり、下半身の筋力と血流のアップ、冷えの解消にもつながります。

セロトニン分泌を高めるためには、リラックスして穏やかに歩ける道を選ぶこと。車通りが激しい、道が狭くて人が多いなど、気をつけることが多いと緊張が高まり、自分にアンテナが向けられません。できれば公園や並木道など、車通りの少ない自然があるところを歩けたらベストです。リラックスできる音楽を聴きながらというのもいいですね（アップテンポの激しい曲は避けてください）。

もし、今まで運動をほとんどしていない、疲れやすいという人は5分からでも大丈夫。できるだけ毎日続けることを目標に、少しずつ増やしていきましょう。朝の日差しを浴びる心地よさに、自然と少しずつ距離が長くなるはずです。

目覚めのためのハーブティー

朝、まだまどろんでいるからだやこころを目覚めさせるためには、さわやかでスッキリとした香りや、酸っぱさやシトラス系の味がおいしいハーブ、代謝を上げる働きのあるハーブでゆるやかにからだを起こしましょう。朝食には消化を助けるハーブもセレクトして、自律神経を整えます。

左の写真の鮮やかな赤い色が美しいローゼル（ハイビスカス）は、目覚めの一杯に最適なハーブ。クエン酸のすっきりとした酸味は、まさに朝にふさわしい味。アントシアニンなどの抗酸化成分やミネラルも豊富で、活動前に飲むとエネルギーを効率的に生み出してくれます。

ローズマリーやペパーミントも、その清涼な香りはもちろん、効能面でも朝におすすめです。アンチエイジングハーブと呼ばれるローズマリーは胃腸を動かし、代謝を上げてくれます。味にクセがあると感じる方は、ほんの少量でも十分。

飲むタイミングは、起きてすぐか朝イチの白湯の後、朝食時や朝食後に。消化器系が弱い方はまずは白湯から始めて、慣れてきたらハーブティーを。温かいものからゆっくりと飲んでください。

活力アップの赤いブレンド

［ 材料（カップ2杯分）］

ローゼル：小さじ1
ローズマリー：小さじ⅓
ペパーミント：小さじ1

[効能]

1日のスタートにふさわしいさわやかなブレンド。真っ赤なローゼルの力で活力をアップ。新陳代謝を促進、疲れにくいからだに整えてくれます。ペパーミントは、消化を助けるハーブ。食欲不信や胃もたれを感じる時に、温かいペパーミントを試してみて。

[朝の目覚めのハーブティー]

エネルギーを
チャージするブレンド

[材料(カップ2杯分)]

赤紫蘇《しそ》:小さじ1
ペパーミント:小さじ⅓
レモングラス:小さじ½

[効能]

「蘇る」という字が入る赤紫蘇は、ロスマリン酸(ポリフェノールの一種)や香気成分であるペリルアルデヒドといった抗酸化成分、ビタミンB、Eなども含む栄養価の高いパワーハーブ。ペパーミント、レモングラスとブレンドすることでさらに飲みやすくなり、消化を助け、香りも朝にぴったりのブレンド。

さわやかな目覚めのためのブレンド

［ 材料（カップ2杯分）］

レモングラス：小さじ1
セージ：小さじ½
ローズマリー：小さじ¼

［ 効能 ］

レモンのような味と香りのレモングラスを中心に、さっぱりとしたローズマリーとセージを加えたブレンド。スッとした香りで脳を目覚めさせます。レモングラスとローズマリーには消化促進効果、セージには抗菌、抗ウイルス作用があるので、「風邪気味かな？」と感じた朝にも。

P.120下｜

朝の腸活ブレンド

［ 材料（カップ2杯分）］

ダンディライオン：小さじ1
ローズヒップ：小さじ1
ショウガ：小さじ⅓

［ 効能 ］

消化を助けながら腸内環境を整えるダンディライオンに、水溶性食物繊維がたっぷりのローズヒップを加えた、気持ちのよいお通じのためのブレンド。タンポポの根の香ばしい風味の中にローズヒップの酸味とショウガがアクセントになり、まるでスープのような滋味溢れる一杯。抗酸化成分やビタミン、ミネラルもたっぷり取れます。

目覚めの精油で一日に活力を

朝はさわやかな香りの精油を選ぶことで、ゆるやかに交感神経のスイッチが入り、1日のリズムを作りやすくなります。

忙しい朝に取り入れやすいのは、芳香浴（P.124）。アロマポットを使い香りを空間に拡散しながら、呼吸によって香りを取り込めば、朝の支度も気分よく始められることでしょう。おすすめの精油はローズマリー。スッとした香りは脳の中枢神経を刺激し、頭をクリアーに目覚めさせてくれます。レモンやグレープフルーツ、ライムなどの柑橘系の香りは、さわやかで朝食時にもぴったり。精神的にもリフレッシュしながら集中力を高めてくれるので、1日の活力になってくれるはずです。ユーカリグロブルスやティーツリーも、清浄でシャープな香り。頭とからだをスッキリ目覚めさせます。ともに感染症予防や呼吸器系にもいい精油なので、風邪対策、免疫力アップにも◎。

立ちのぼる香りを楽しみながら、手を浸すハンドバス（P.125）もおすすめです。顔を洗う時、洗面器にお湯をためて精油を1滴。手首までしっかり温めることで、上半身の血流を良くします。蒸気からの香りを直接浴びることで、精油の効能をしっかり感じられるでしょう。

ブレンド精油の作り方

あらかじめ精油をブレンドしておくと忙しい朝の芳香浴にも便利です。ビーカーで精油原液を混ぜ合わせて、遮光瓶に保存します。朝におすすめのブレンドは下記のとおり。P.134の朝の精油から自由に組み合わせてお気に入りを見つけてみて。

レシピ①

レモン20滴＋ユーカリグロブルス30滴＋レモングラス10滴

レシピ②

ライム30滴＋ローズマリー20滴＋ティーツリー20滴

頭とからだを目覚めさせる芳香浴

レシピ①

レモン1滴＋ローズマリー1滴＋ユーカリレモン1滴

［ 効能 ］

スッとしたレモンの香りと、ユーカリ、ローズマリーの草の香り。頭の中をクリアにして1日のスタートを切るのにぴったり。集中力と活力を高めます。

レシピ②

グレープフルーツ2滴＋ユーカリグロブルス1滴

［ 効能 ］

グレープフルーツの甘さとさわやかさに、オーストラリアの力強い森の香りの組み合わせ。少し緊張を感じる朝に落ち着きを取り戻してくれます。

［ やり方 ］

お気に入りのアロマポットに精油を数滴。部屋全体に広がる香りでからだとこころをほぐします。フルーツの香りが入っていると朝食時にも邪魔にならず、朝から気分をクリアにできます。

上半身をリラックスさせるハンドバス

[おすすめの精油]

ローズマリー、レモングラス、ユーカリ、ユーカリレモン、ティーツリーなどからどれか一種。

[やり方]

洗面器やタライ（洗面所のシンクの中でも可）に42度くらいのお湯を入れて精油を1〜2滴垂らし、手を入れ、立ちのぼる香りも一緒に楽しみます。洗顔時のルーティンにすると続けやすいです。朝シャワー派の方は、お湯を入れた洗面器に1滴入れて足湯をしながらシャワーを浴びる方法もあります。その際、柑橘系の精油は光感作（光アレルギー性）があるので避けてください。

体内リズムを整える朝ごはん

Step1でお伝えしたように、朝ごはんを食べることでからだが目覚め、体内リズムが整ってきます。

もしも朝起きた時におなかが空いていない、胃がもたれているなどの症状がある方は、夕飯が消化の負担になっているか、眠りが浅くて夜間にちゃんと内臓が休まっていない可能性が。夕飯を消化の良いものにしたり、食事の時間をなるべく早めたり、眠りを深くするケアをしたりすることでだんだん朝に食べられる胃腸になっていきます。

朝食を取ることに慣れていない人は、少量から始めてみましょう。おかゆやほんの少しのフルーツ、野菜スープだけでも大丈夫。徐々に量を食べられるようになってきたら、野菜たっぷりの味噌汁にご飯と魚などの和定食スタイルや、サラダとご飯、卵料理といった「炭水化物＋タンパク質＋脂質＋ビタミンミネラル」の献立にしていきます。

これは数カ月、1年単位で変化させていくものなので、急がずに慣れていきましょう。

朝におすすめの食材は、

・発酵食品でありタンパク質も取れる味噌や納豆
・ミネラルがたっぷり取れるごまや海苔・ナッツ類・桜海老
・ビタミンやミネラル、フィトケミカル成分の宝庫である緑色の濃い葉野菜やハーブ
・ビタミン・ミネラル、食物繊維、良質な脂質も取れる優秀食材のアボカド
・アミノ酸バランスが完璧な卵
・セロトニンの材料が全てそろっているバナナ

などが挙げられます。こうして書き出すと、朝食として定番の食材たちはやはり適しているということですね。

次のページでご紹介するのは、これらを取り入れた彩り豊かなワンプレート朝ごはんです。

葉野菜とハーブのサラダ

［材料（1人前）］

サニーレタス、ベビーリーフ、ミント、
ディルなどのフレッシュハーブ：適量
パプリカ、アボカド、ナッツ：適量

［作り方］

①レタス、ハーブは手でちぎって水洗いし、ベビーリーフ、刻んだパプリカと一緒に水気を切る。
②皿の半分くらいに①を盛り、アボカド、ナッツを添える。

※①はサラダスピナーを使って2〜3日分作りため、そのまま冷蔵庫に入れておくと便利。
※ドレッシングは天然塩＋胡椒＋オリーブオイル＋レモン汁（または酢）などのシンプルなもので。

桜海老とナッツの混ぜご飯

［材料（1人前）］

ご飯：軽く茶碗1杯
桜海老：大さじ1
アーモンド、カシューナッツ、くるみなどのナッツ：大さじ1

［作り方］

①ナッツは混ぜやすい大きさに刻む。
②桜海老とナッツをご飯に混ぜ皿に盛る。

※塩をまぶしておにぎりにして海苔を巻いてもおいしい。

[体内リズムを整える朝ごはん]

ポーチドエッグ

[材料（1人前）]

卵（できれば平飼い）：1個
塩：小さじ1
お酢：大さじ1

[作り方]

①鍋に水を入れ、塩とお酢を加え混ぜ、火にかける。
②沸騰したら真ん中に卵をそっと落とす。（いったん別の器に割り入れると失敗しづらい）
③2〜3分くらいして白身全体が白くなったら、穴の空いたお玉で取り出し皿に盛る。仕上げにパプリカパウダーや黒胡椒などのスパイスをかけると抗酸化力UP。

セロトニン分泌のための材料

セロトニンを分泌させるために必要な栄養素は、必須アミノ酸の「トリプトファン」。体内では合成できないため、食べ物からの摂取が欠かせません。トリプトファンが含まれる食材は、朝に食べる方が自律神経を整えるのに効率的です。動物性の食材が多いので、野菜などもあわせてバランス良く取ります。調理方法は蒸す、茹でるにして胃腸の負担を減らしましょう。

・トリプトファンの材料となる食べ物

マグロやカツオなどの赤身の魚、大豆製品、チーズ、レバー（牛、豚、鶏）、卵、アーモンド、カシューナッツ、バナナ、カツオ節、納豆、味噌など。

・トリプトファンの生成を助ける「ビタミンB６」「葉酸」が多い食べ物

ビタミンB６は、マグロ、カツオ、レバー、鶏ササミ、ムネ肉、鮭、玄米、ニンニク、ピスタチオ、焼き海苔。

葉酸は、ホウレン草やモロヘイヤ、春菊などの緑の葉物野菜、ブロッコリー、アスパラ、枝豆、芽キャベツ、緑色の濃いハーブ（パクチー、イタリアンパセリ、バジルなど）。

朝の時間帯におすすめのハーブ一覧

ローゼル

クエン酸をはじめ、リンゴ酸、ハイビスカス酸など多くの酸味成分を含み、肉体疲労時に最適。エネルギー代謝と新陳代謝を高めてくれる。消化を助け、便秘解消や利尿作用もあるのでデトックス効果も。

【作用】代謝促進、便通促進、利尿消化促進、抗炎症
【からだ】肉体疲労、血流改善、新陳代謝促進、肌荒れ、消化促進、便秘、むくみ、風邪、眼精疲労
【こころ】リフレッシュ、目覚め
【ブレンド例】
＋ペパーミント：消化促進、代謝促進
＋ルイボス：代謝促進
＋ローズマリー：便秘、身体の活性化

ローズマリー

ロズマリン酸など、豊富な抗酸化成分を含むアンチエイジングハーブ。血液の循環を促し、からだを目覚めさせる。肝機能、消化器系の機能低下、リウマチ、神経痛にも◎。

【作用】抗酸化、代謝促進、消化促進
【からだ】食欲不信、消化促進、代謝促進、血行促進、強壮
【こころ】活力アップ、リフレッシュ
【ブレンド例】
＋ペパーミント：消化促進、目覚め
＋レモングラス：消化促進、食欲不信、目覚め
＋赤紫蘇：アンチエイジング、消化不良改善

レモングラス

レモンの風味がおいしいハーブ。消化を助け、胃や腸の中のガスを排出してくれる。抗菌、抗真菌作用。飲みにくいハーブの味の調整にも。気分をさっぱりとさせたい時、おなかが重い時に。

【作用】健胃、ガス排出、消化促進、抗菌、消化促進、食欲増進、消化不良改善
【からだ】消化不良、胃腸の張り
【こころ】リフレッシュ
【ブレンド例】
＋ローゼル：消化促進、目覚め
＋ローズヒップ：リフレッシュ
＋ルイボス：代謝促進、目覚め

ペパーミント

さわやかな香りと味が眠気を覚まし、気分をさっぱりさせてくれるハーブ。胃腸の調子を整え、胃もたれや胃痛、食欲不振の改善、吐き気の改善に。油の消化を助けるので消化力の弱い人にも。

【作用】活力増進、鎮痙《ちんけい》、消化促進
【からだ】おなかの張り、消化不良、食欲不信、過敏性腸症候群
【こころ】集中力を高める、目覚め
【ブレンド例】
＋レモングラス：消化促進
＋赤紫蘇：消化促進、リフレッシュ
＋セージ：リフレッシュ、消化促進、抗菌

セージ

さっぱりと清涼感のある香りのハーブ。抗菌、抗ウイルス、抗真菌作用があり、古来より感染症対策に使用されてきた。口内炎、歯肉炎など口の中の炎症の改善、ホットフラッシュなどの多汗の改善にも。

【作用】抗菌、抗真菌、抗ウイルス、収れん、発汗抑制、母乳分泌抑制
【からだ】喉、口内の炎症、更年期や心身症の多汗、寝汗
【こころ】リフレッシュ
【ブレンド例】
＋レモングラス：リフレッシュ
＋ローゼル：リフレッシュ、消化促進
＋ローズマリー＋ペパーミント：リフレッシュ、消化促進、強壮

ローズヒップ

「ビタミンCの爆弾」と異名をとるほどビタミンCが多く、その量はレモンの20倍と言われ免疫力の強化や美肌に役立つ。リコピンやビタミンA、B、Eなどの抗酸化成分も豊富に含み、炎症を抑えてくれる。

【作用】免疫向上、便通促進、抗炎症
【からだ】風邪、インフルエンザなどの感染症時、発熱、便秘、美肌、日焼け
【こころ】活力アップ
【ブレンド例】
＋ハイビスカス：代謝、活力アップ
＋ローズ、ローズマリー：美肌
＋ネトル：貧血改善

赤紫蘇

抗酸化成分が多く、「蘇る」という字が使われているとおり、日本のアンチエイジングハーブ。さっぱりとした香りと味は日常のお茶として楽しんでも。胃の調子を整えてくれる。風邪の予防やひき始め、デトックスにも。

【作用】健胃、整腸、発汗、解熱、鎮咳、利尿、抗菌
【からだ】消化促進、食欲不信、アレルギーの改善、風邪予防
【こころ】リフレッシュ、リラックス
【ブレンド例】
＋ローズヒップ：消化促進、アンチエイジング
＋熊笹：デトックス、消化促進、体質改善
＋桑：デトックス、体質改善

ジンジャー

古くから薬用植物として使用されているショウガ。血行、代謝を良くしてからだを温め、消化を助ける。冷え対策には、一度蒸して乾かした生姜（しょうきょう）を使用するか、少し煮立てて熱を加えると良い。

【作用】代謝促進、消化機能促進、消化促進、制吐、鎮痛
【からだ】冷え、胃もたれ、消化不良、胸焼け、吐き気、つわり
【こころ】活力アップ
【ブレンド例】
＋ゴボウ：冷え改善、便秘解消、消化器系の不調解消
＋ルイボス：代謝アップ、冷え改善
＋ペパーミント：消化促進、胃もたれ、胸焼け、つわり、吐き気

朝の時間帯におすすめの精油一覧

レモン

ほとんどの人が好む、朝にぴったりなフレッシュレモンの香り。頭をスッキリさせて集中力を高めたい、こころを浄化してクリアにしたい時にぴったり。抗菌、抗ウイルス作用があるので感染予防にも。消化力を高め、血行を促進してくれる。光感作注意。

【作用】健胃、ガス排出、消化促進、血行促進、抗菌、抗感染、精神安定
【からだ】消化不良、胸焼け、吐き気、冷え、感染症予防
【こころ】リフレッシュ、集中力を高める
【ブレンド例】
＋ローズマリー：精神疲労回復、リフレッシュ、集中
＋ジュニパーベリー：感染症予防、血行促進
＋レモングラス：消化促進、リフレッシュ

ローズマリー

血液循環を促しからだを温める精油。中世より若返りのハーブとして知られ、強い抗酸化成分を含む。脳の機能改善やからだの循環不良改善、疲労回復、消化促進、細胞再生など、あらゆる機能を活性化させる。

【作用】抗酸化、強壮、強肝、循環促進、血行促進、代謝促進、消化促進、神経強壮、頭脳明晰
【からだ】冷え、頭痛、筋肉痛、肩凝り、むくみ、便秘、消化不良、リウマチ、神経痛、記憶力低下、スキンケア、ヘアケア
【こころ】ストレス、慢性疲労、神経疲労、集中力低下
【ブレンド例】
＋オレンジ：冷え解消、血行促進、リフレッシュ
＋ラベンダー：ストレス緩和、スキンケア、ヘアケア
＋ベルガモット（ベルガプテンフリー）：疲労回復、リフレッシュ

ユーカリグロブルス

呼吸を通してくれるようなスーッとした清涼な香り。重苦しい気分や精神的な疲労を解消してくれる。抗菌力が強く呼吸器系への強壮作用があるので、風邪予防にも。子どもや粘膜の弱い方は、同品種のユーカリ・ラディアタを使用して。

【作用】神経強壮、抗カタル、去痰、抗菌、抗ウイルス、抗真菌、免疫強化
【からだ】感染症予防、呼吸器系症状の改善、神経痛
【こころ】リフレッシュ、頭脳明晰
【ブレンド例】
＋ペパーミント：リフレッシュ、呼吸器系改善
＋レモングラス：リフレッシュ、虫除け
＋ティーツリー：感染症予防、花粉症、リフレッシュ

レモングラス

スッキリとした香りが心身をリフレッシュさせて、疲労を回復。消化力を高める。抗菌、抗真菌効果も高い。虫除け対策にも。香りが持続するので、揮発しやすい柑橘系の精油にブレンドすると長く楽しめる。

【作用】消化促進、ガス排出、血行促進、抗炎症、抗菌、抗真菌、虫除け
【からだ】消化器系不調の改善、むくみ、筋肉痛時のマッサージ、ニキビ、デオドラント
【こころ】リフレッシュ、疲労回復
【ブレンド例】
＋ローズマリー：リフレッシュ、筋肉痛
＋ユーカリレモン：虫除け
＋ティーツリー：リフレッシュ、抗菌

ライム

誰にでも好まれる柑橘のさわやかな香り。精神的に明るくポジティブな気持ちにさせ、精神疲労を回復。目覚めや1日のスタートにもぴったり。リフレッシュ、リラックス両方の作用があり精神バランスを整える。消化器系の不調の改善に。光感作注意。

【作用】神経強壮、高揚、鎮静、消化促進、鎮痙《ちんけい》、収れん
【からだ】消化器系の不調、食欲増進
【こころ】リフレッシュ、目覚め、精神疲労回復
【ブレンド例】
＋レモン：リフレッシュ、精神疲労回復
＋レモングラス：リフレッシュ、目覚め
＋ローズマリー：リフレッシュ、集中力回復

ユーカリレモン

さっぱりとさわやかな香りが精神疲労を回復し、気分を前向きに整える。炎症を抑え、痛みをやわらげるので、肩凝りや筋肉痛の改善に。免疫強化作用もあるので感染症対策にも。蚊が嫌いな香りなので虫除けにも使われる。

【作用】抗炎症、鎮痛、鎮静、抗リウマチ、抗菌、抗ウイルス、抗真菌
【からだ】筋肉痛、腰痛、肩凝り、むくみの改善
【こころ】リフレッシュ
【ブレンド例】
＋レモングラス：リフレッシュ、虫除け
＋レモン：集中力アップ、神経疲労回復
＋ティーツリー：感染予防、免疫強化

グレープフルーツ

脂肪を分解して代謝。胃腸、肝臓、胆嚢の働きをサポートする。リンパの流れを良くし老廃物を排出。みずみずしい香りは気持ちをリフレッシュさせ、抑うつ状態を改善させる。光感作に注意。

【作用】抗不安、高揚、神経強化、消化器機能促進、活力増加、鎮静、鎮痛、利尿
【からだ】脂肪融解、消化不良、食欲不振、ダイエット、むくみ、疲労
【こころ】不安、抑うつ、精神疲労、ストレス
【ブレンド例】
＋ジュニパーベリー：デトックス
＋ベルガモット（ベルガプテンフリー）：消化不良改善、リンパマッサージ、ストレスケア
＋サイプレス：むくみ、たるみ解消

ティーツリー

オーストラリア原産の万能ハーブから抽出される精油。さっぱりとした香りが活力をアップし、集中力を高めてくれる。精神疲労や不安、抑うつの状態からの回復に。抗菌、抗ウイルス作用もあり免疫力を高め、感染症予防、風邪に◎。

【作用】免疫調整、抗菌、抗ウイルス、抗真菌、去痰、強壮、免疫強化
【からだ】疲労回復、免疫低下、風邪、呼吸器系の症状、花粉症
【こころ】リフレッシュ、精神疲労の回復
【ブレンド例】
＋レモン：リフレッシュ、目覚め、感染症予防、風邪
＋ペパーミント：呼吸器系改善、リフレッシュ、目覚め
＋ラベンサラ：免疫強化、感染症予防、つわり、吐き気

昼のセルフケア

仕事中はどうしても頭に意識が集中し、
首や肩は凝り固まりがち。
ここでは、仕事の合間にできる
簡単セルフケアをご紹介します。

エネルギーを補給する昼ごはん

活動量の増える昼は、エネルギーをしっかり補給したい時間帯。昼食は3食の中でも一番量とカロリーを取りたいタイミングです。とはいえ、パンやうどん、パスタ、丼もの、カレーなど糖質メインのものは糖質過多になるため、自律神経にも悪影響。

糖質の適量は、人によって代謝量が違うので一概には言えませんが、一食当たり自分の握り拳1個分が目安です。ただし、年齢が成長期～20代前半まで、もしくはからだを動かす仕事の人は、糖がすぐにエネルギーに変わるので、それより多くても大丈夫。

しっかり栄養を取りながらもバランスがいいのは、やはり和食の定食スタイル。ご飯＋味噌汁＋主菜＋副菜の組み合わせは、糖質、脂質、タンパク質などをまんべんなく取れます。洋食なら、サラダなどたっぷりの野菜＋タンパク質＋糖質が理想の組み合わせです。

鮭やサバなどの焼き魚定食、鯛やアジなども入った刺身定食は、オメガ3系の脂質を取れるチャンスなので積極的に食べたいところ。唐揚げやトンカツなどの揚げ物系の定食はタンパク質は取れますが、オメガ6系の油を使っているので酸化が気になります。腸内環境を整えたい時に、油物を必要以上に食すのは避けましょう。

できれば調理法は、①蒸す→②煮る→③焼く→④揚げるの順で選んで。揚げ物はたまのお楽しみにしましょう。

また、外食よりは自家製のお弁当がおすすめですが、朝は時間がない、料理が苦手という人には保温のできるスープジャーが最適です。鍋でひと煮立ちさせた具材と汁を入れるだけで完成。味噌を入れれば豚汁やけんちん汁系、豆乳を入れればホワイトクリーム系、トマトを入れればトマトソース系と、簡単に味の変化をつけやすく、持ち歩いている間にジャーの中で調理されるので（火が通る）、準備もラクチンです。

ジャガイモ、ニンジン、小松菜、ほうれん草、玉ねぎ、ニンニク、ショウガなどの野菜と、豆やチーズ、マグロや鮭、タラなどの魚、豚肉、鶏肉、牛肉、マトンなどのタンパク質を一緒にジャーに入れて、おにぎりを持参すれば、バランスのよい昼食に。

次のページで紹介しているのは、そんなスープジャーでも調理できる、昼食にぴったりのメニューです。

[エネルギーを補給する昼ごはん]

マグロのトマトソース煮込み

[材料(一人分)]

マグロ(切身):100g
大豆(水煮):大さじ2
玉ねぎ:¼個
ニンニク:½かけ
トマトピューレ:200mℓ
水:100mℓ
オリーブオイル:小さじ1
塩:ひとつまみ
バジル、イタリアンパセリ、ディルなどのハーブ:適量

[作り方]

①玉ねぎとニンニクはみじん切りにして、オリーブオイルを熱したフライパンで炒める。
②玉ねぎが透明になってしんなりしたら、一口大に切ったマグロを加える。
③マグロの表面の色が変わったら、トマトピューレ、大豆、水を加え5〜10分煮込む。
④塩で味を整えたら器に盛り、ハーブを散らす。

［ スープジャーの場合の作り方 ］

①スープジャーに熱湯を入れて蓋をし、温めておく。
②小鍋に、くし切りにした玉ねぎ、スライスしたニンニク、マグロ、大豆、トマトピューレ、水、塩、全てを入れ、一度煮立てる。
③煮立ったら火を止め、スープジャーのお湯をこぼし②を入れる。
④ハーブも加え、しっかり蓋をする。

※スープジャーを温めるのに使った熱湯でハーブティーを入れても。
※ランチ時のニンニクが気になる方は抜いてもOK。
※トマトピューレは、オーガニックの味の濃いもので作るととてもおいしいので、塩だけで満足できる味になります。

光を浴びる

朝日を浴びるとセロトニンの分泌が促進されますが、昼間の太陽にその効果が全くないわけではありません。昼の光でもセロトニン神経は活性化します。網膜で太陽の光を感じればセロトニンはさらに分泌され、それが夕暮れと共にメラトニンに変換されるため、夜の眠りは深くなります。

忙しくて時間が取れず、朝に十分なセロ活ができない人は、昼間になるべく外で日光を浴びましょう。昼休憩の時に5分でもいいので外のベンチに座る、可能であれば15～20分くらいいられるとより効果的です。

浴びる時間は、光量の強い夏は短く、冬は長めに調整してください。真夏の関東で正午の日光だと5分程度、真冬だと20分程度です。必ずしも直射日光でなくても構いません。外であれば木陰でもＯＫです。

また、光を浴びることは「ビタミンD合成」のチャンスでもあります。ビタミンDは、免疫力や丈夫な骨を作るために大切な栄養素。ガン予防や妊娠しやすいからだ作り、感染症の予防にも役立ちます（ビタミンD濃度が低いと新型コロナにかかりやすく重症化しやすいということがわかっています)。

ビタミンDが欠乏すると、うつ病や糖尿病の発症リスクが上がります。2005〜2007年にかけて行われた大規模調査では、一般的な日本人の約80％の人がビタミンD不足だったという報告があり(※2013年に医学誌『Osteoporosis International』に掲載された論文。ROAD研究)、昔に比べ太陽に当たる機会が減ったこと、魚を食べなくなったことが大きな要因です。

特に、紫外線対策が万全な若い女性にとってビタミンD不足は顕著です。全身くまなくUV対策をしてしまうと、ビタミンD合成ができません。手のひらだけ、脚の脛《すね》だけなど、一部分は日焼け止めを塗らずに日に当てましょう。

また、ビタミンD合成を目的とする時は、サングラスは避けてください。目に光を浴びることで、交感神経のスイッチが入ります。

足りない分は、ビタミンDが豊富に含まれる鮭やイワシ、サンマなどの魚やキノコ類で補充しましょう。

「今、ここ」に焦点を合わせるマインドワーク

昼休みや休憩時間は疲れやストレスを一度リリースして、エネルギーチャージしましょう。5分でもいいので「今、ここ」に意識を戻すマインドワークをすると、脳の疲れが取れて意識がクリアに。リフレッシュして次の仕事に戻ることができます。

やり方は次の通りです。

〈場所〉

できれば近くの公園や広場など、少し静かなお気に入りの場所を見つけて。同じ時間、同じベンチなど、決まった落ち着けるスポットがあると、スイッチが入りやすくなります。近くにそういう場所がなければ、自分のデスクやランチを食べる場所、車の中でも大丈夫。「一人で安心を感じられる小さなスポット」を探してみてください。

〈やり方〉

① 座ってしばらく外の景色を眺めながら、目に映るものを頭の中で言葉にしていきます。ペンキのハゲた緑色のベンチ、足元に落ちた枯葉、黒いパンプス、少し先の水たまり、ケヤキの木、空、雲……。自然のものでなくても、人工的なものでも構いません。足元にある歩道の敷石、落ちているアイスの包み紙、目の前を横切る車……。デスクなら、赤色ボールペン、茶色い革の手帳、水色の付箋……。

視界に映るものに集中しているうちに、思考が「今、目の前」に戻ってきます。「今」に意識が在ることを確認したら、背筋を伸ばして座り、目を閉じます。目を閉じるとかえって周りが気になる、開けていた方がリラックスできる人は、開けたままでも構いません。

② その状態で、呼吸に集中します。こころの中で「1、2、3、4」と4カウントしながら鼻から息を吐き、4カウントしながら鼻から息を吸います。口の方が自然な方は口からでも大丈夫。4カウントはゆっくりめな自然のリズムで。

遅過ぎると苦しいと感じるかもしれませんし、早過ぎても落ち着きを感じません。自分にとってちょうどいいペースを探します。

③ 4カウントずつの呼吸をしばらく繰り返して落ち着いたら、そのまま呼吸を繰り返しながら、膨らんだり凹んだりするおなかの動きを感じます。おなかはどんな動きをしています

か？　柔らかい感じ？　それとも硬い感じ？　そのまま胸の中に出たり入ったりしている空気も感じましょう。胸はどんな動きをしていますか？

次に、胸の奥の肺を感じてみてください。脇腹、腰や背中もかすかに膨らんだり凹んだりしながら空気が出入りしていることを感じてください。からだの内側と外側を行ったり来たりしている空気の流れと、それに合わせて滑らかに動くからだをしばらく観察します。

④ ゆっくり流れる時間と静けさを感じたら、手の指を動かしながらこぶしを握ります。大きく息を吐いて、意識を外に戻します。

意識が戻ってきた時には、少し前とは違うスッキリとした感覚を覚えるはずです。何回か繰り返すうちに、静かな領域に行くのが早くなり、疲れの癒え方も深くなります。1回で効果を感じなくても続けてみてください。

もしこのマインドワークをした後に眠気を感じる時は、心身が疲れてもっと休みたがっているということ。帰宅したら早めにからだを休ませましょう。

昼のハーブティー

日中に飲むハーブティでおすすめなのが、桑の葉。日本でも薬草として有名ですが、海外でもマルベリーという名前でハーブに分類されます。緑茶のような風味でなじみやすい味です。特筆すべきは、桑に含まれるDNJ（デオキシノジリマイシン）という成分が、血糖値の急上昇を防ぐ働きをすること。食前に1杯飲むことでその効果がより発揮されます。

また、水溶性食物繊維や現代人が不足しがちな亜鉛、カルシウムが豊富。精神を安定させるGABA（ガンマアミノ酪酸）も含まれるので、日中のストレスケアにも最適です。

ルイボスティーも日中のお茶におすすめ。豊富なフラボノイドやマグネシウム、カルシウム、カリウム、ナトリウムなどのミネラルも多く含んでいるパワーハーブです。代謝を上げながら抗酸化成分がからだのサビを防ぎ、糖尿病、高血圧などの成人病予防や、アトピー性皮膚炎などの改善、冷え性、便秘に役立ちます。

この2つのハーブティーに、ほんのりリラックスさせてくれるローズやオレンジフラワー、エゾウコギ、消化器ケアをしてくれるレモンバーム、フェンネルやペパーミントなどを加えてアレンジすると、ハーブ感が出てスッキリ飲みやすくなります。

からだ整えブレンド

［材料（カップ2杯分）］

桑：小さじ1
ヨモギ：小さじ1
レモンバーム：小さじ½

[効能]

糖分の吸収を抑える、腸内環境を整える、ストレスケアができる……と機能性の高い桑に、万能和ハーブのヨモギを加えて、日中の水分補給でからだの根っこを整えるブレンド。レモンバームが消化器ケアとストレスケアもしてくれて自律神経バランスも整えます。

[昼のハーブティー]

活力アップのための赤いブレンド

[材料（カップ2杯分）]

ルイボス：小さじ½
ローズ：小さじ1
ローゼル：小さじ1

[効能]

抗酸化力が高くミネラル豊富なパワーハーブ・ルイボスに、疲労回復効果のあるローゼル（ハイビスカス）を加えて、代謝もアップしながら一日中元気に。ほんのりとローズの香りが感じられて飲みやすく、ストレスケアや胃腸ケアも叶えます。酸っぱい味が苦手な方は、ルイボスを増やしてローゼルを減らしてください。

P.151下｜

日中のストレスケアのためのブレンド

[材料（カップ2杯分）]

レモンバーベナ：小さじ1
オレンジフラワー：小さじ1
エゾウコギ：小さじ½

[効能]

消化を助けながら、ストレスによって感じた不安や緊張をやさしくケアしてくれるブレンド。スッとした味が飲みやすいレモンバーベナにオレンジの花の香りが似合います。エゾウコギには、環境の変化やストレスに対応できるアダプトゲン作用があるので、ストレスフルな仕事の方にもおすすめ。ただし、眠くなってしまうようだったら夜にまわして。

元気と胃腸対策のための
ブレンド

[材料（カップ2杯分）]

ブラックマテ：小さじ1
ペパーミント：小さじ½
フェンネル：小さじ⅓

[効能]

アンデス山脈の過酷な環境でもたくましく育つマテは、カルシウムやマグネシウム・鉄分も豊富に含むパワーハーブ。南米の人たちの健康に欠かせないお茶として親しまれています。脂肪がつきにくくなる抗肥満作用があり、ダイエットにも最適。ただし、カフェインがコーヒーの1／4ほど含まれているので飲み過ぎには注意。焙煎してあるブラックマテは香ばしくて飲みやすく、ペパーミントやフェンネルのアクセントを効かせるとおいしく、胃腸も整えてくれます。

ストレス、凝りをリリースするロールオンアロマ&アロマミスト

日中に受ける緊張やストレス、頭痛を緩和させたい時、気分を変えたい時に役に立つのが、「ロールオンアロマ」や「アロマスプレー」。お気に入りのブレンドを携帯しておけば、仕事中や移動中にさっと使えて心強い味方になってくれます。

ロールオンアロマは、植物オイルに精油を希釈し、クルクルと回るプラスチックボール付きの容器に入れたもの。ベースの植物オイルは、酸化しづらいホホバオイルやオリーブスクワランなどがいいでしょう。保湿力もありながらサラリとしたテクスチャーで、肌にスッとなじみます。

精油はオレンジやマンダリンの柑橘系がおすすめ。この2種には光感作の心配がなく、明るい気持ちとリラックスを同時にもたらしてくれるので、ロールオンアロマに最適です。昼間、強い緊張が続くようなら、マジョラムやホーウッドなどの鎮静効果の高い精油を。凝っている箇所の血流やリンパの流れを良くしたい時は、ペパーミントやジュニパーベリー、ジンジャー

をブレンドしてください。

精油を肌に塗る時、基本的には1%濃度くらいの希釈が適切ですが、ロールオンアロマは局所使いで香りをしっかりと感じたいので、少し濃いめの3〜5%程度で作ります。

アロマミストは、精油とエタノール、水をスプレーボトルに入れたもの。香りをまとうイメージで自身の周りに吹きかけると、植物の香りが広がって一瞬で呼吸が深くなりリフレッシュできます。

重苦しい気分やネガティブな気持ちを感じた時、一生懸命になり過ぎて呼吸が浅くなっているのに気づいた時にひとふり。外出先でも気軽にできる「芳香浴」で一息つきましょう。

アロマミストの精油は、さっぱりとしながらリラックスもできるベルガモットやサイプレス、ビターオレンジの枝葉から抽出されるプチグレン、神経系を調整してくれるバジルなどが最適。ラベンダーやオレンジなどの定番の精油に、これらをブレンドするのもおすすめです。

濃度は2〜4%程度。香水の中で一番弱いオーデコロンの濃度が2〜5%です。精油は合成香料よりもやさしく持続時間も短いので、強過ぎることはありません。

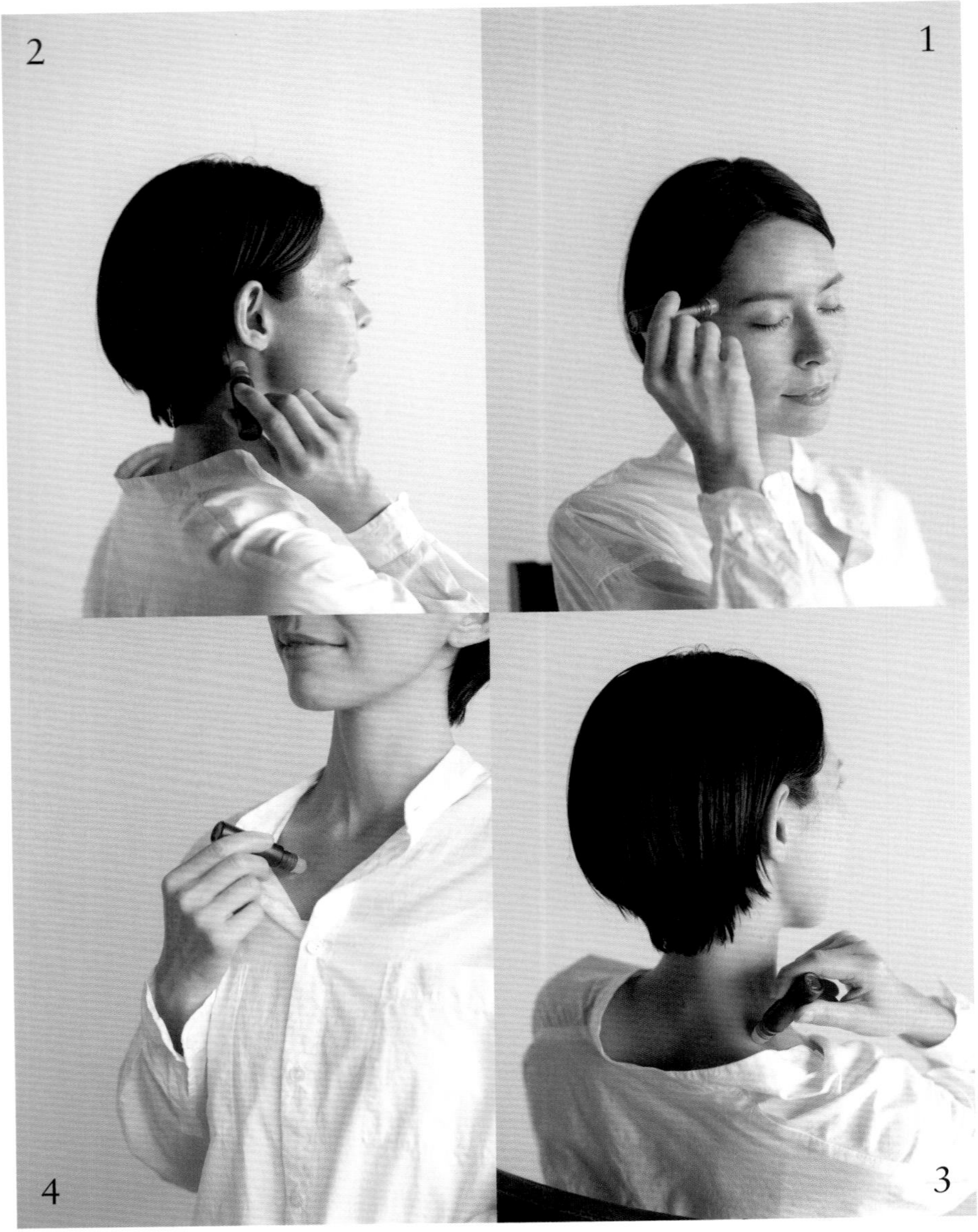

ロールオンアロマ
塗る順番

①こめかみ→②首の付け根、耳の後ろ→③首の付け根から肩→④鎖骨まわり。鎖骨まわりはリンパの流れの最終出口なので、ここの体液が滞っていないことがとても大切。からだの中心部から肩に向けて鎖骨下をなぞるようにロールオンを転がしましょう。ある程度オイルがついたら手でやさしくなじませます。

写真下｜

男性でも使える ストレスケアアロマミスト

［ 効能 ］

甘味のない柑橘のベルガモットに、針葉樹の香りのサイプレスを加えた大人のブレンド。スッとしながらも落ち着いた香りは男性にもおすすめ。

［ 材料 ］

ビーカー、スプレーボトル（容器50ml）
精製水：40ml、エタノール：10ml
〈精油〉
ベルガモット（ベルガプテンフリー）：12滴
サイプレス：8滴

［ 作り方 ］

①ビーカーに、エタノールと精油を入れ、よく混ぜる。
②①に精製水を加え、スプレーボトルに入れてよく振ったら完成。

※白濁しますが問題ありません。使うたびによく振って、1カ月以内に使い切ってください。
※ベルガモット（ベルガプテンフリー）は、P.194を参照。

写真上｜

血行を促進させ前向きになれる ロールオンアロマ

［ 効能 ］

太陽のように明るく温かいオレンジの精油と相性のいいスイートマジョラムの組み合わせ。血行促進効果も高く、首や肩に塗り込んで凝りを解消。

［ 材料 ］

ビーカー、ロールオン容器（10ml）
ホホバオイル：10ml
〈精油〉
スイートオレンジ：3滴
スイートマジョラム：3滴

※遮光性の高い容器に入れて3カ月以内に使い切ってください。

［ 作り方 ］

ビーカーにホホバオイルと精油を入れ、よく混ぜる。ロールオン容器に入れたら完成。

巻き肩、ストレートネック改善のためのストレッチ

座りっぱなしやＰＣ・スマホの使用で肩を丸めてばかりの姿勢は、胸の筋肉にスイッチが入り、背中の肩甲骨側の筋肉はほとんど使われません。また腕の付け根も前に出て、肩が上がってしまい、結果、猫背、巻き肩、そして頭が前に出るストレートネックになるというのは、P.89でご紹介したとおり。この姿勢はとても疲れやすく、自律神経を乱します。

長時間、からだの前側の筋肉ばかり使っていると、立つ時や歩く時も座っている時と同じように、前側の筋肉にスイッチが入ったままになりやすくなります。立つ時や歩く時は「背中側の筋肉を使って支える」ことを意識してください。

P.１５８からは、職場で座ったままできるボディワークを紹介します。小まめに取り入れて、姿勢のクセを直し、巻き肩、ストレートネックを改善しましょう。

ボディワーク①骨盤調整ワーク

背骨の美しいS字ラインを作るためには、骨盤の向きが重要です。朝のボディーワークでは、寝ながら腸腰筋にスイッチを入れるワークを行いましたが、座わったままできるのがこちら。

座ってばかりいると、骨盤が後傾して腰から丸くなり背骨のカーブも猫背になりがちです。意識して骨盤は立てて座りたいものですが、それでも股関節が90度に曲がることで血流もリンパの流れも滞り、下半身のむくみにつながります。このワークは、日中に何度か調整することで骨盤の位置を直し、腸腰筋にスイッチを入れて股関節の詰まりも解消します。

ボディワーク②・③自然に胸が開くワーク

肩甲骨が寄っていると、背筋が伸びてキリッときれいな姿勢に見えます。その時、胸は自然に張ることができます。

このボディワークはとても簡単な動きですが、肩甲骨と背骨をつなぐ筋肉「菱形筋《りょうけいきん》」にスイッチを入れて肩甲骨を引き寄せ、胸を開いて呼吸を深くします。その分、肩の力が抜けて肩凝りの予防になります。

ボディーワーク①

骨盤調整ワーク

1.

背筋を伸ばして椅子に浅めに腰掛け、右かかとを左の足首（前面）につける。

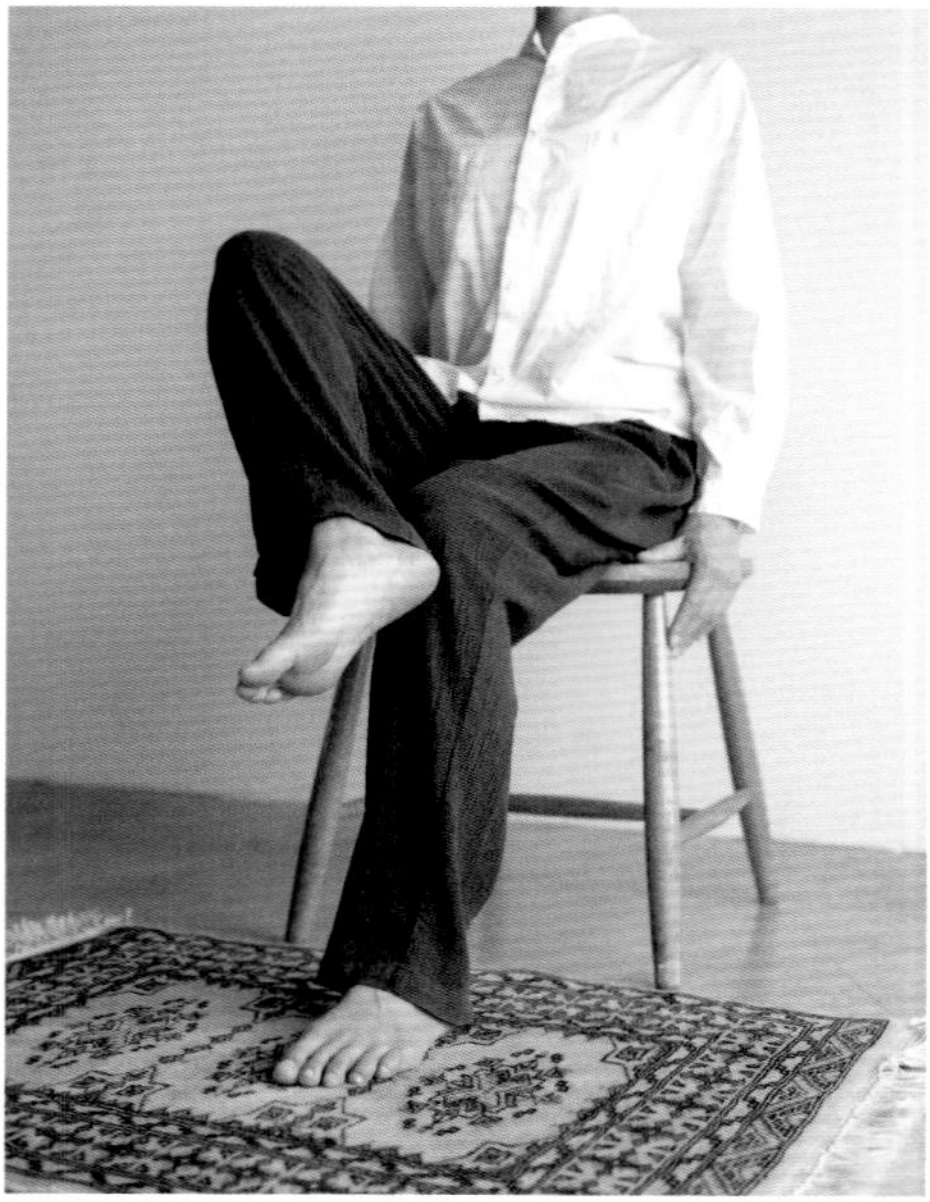

2.

そのままスネを通りながら膝まで上げる。反対の脚も同様に。左右10回ずつ繰り返す。

※脚の筋力が足りない場合は、右手で右脛を持って補助したり、上げる時に左膝の上まで持ってくるとスムーズにできる。

ボディーワーク②
自然に胸が開くワーク

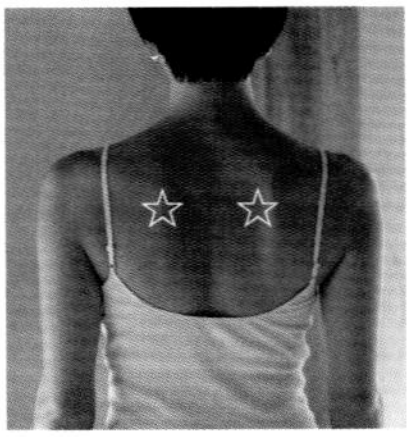

1.

右手を胸の真ん中に添え、左手を上げる。肘は直角に。

2.

そのまま胸を前に突き出す。その時に☆の位置が動いていることを意識して。

3.

反対側も同様に。左右5回ずつ繰り返す。

ボディーワーク③
自然に胸が開くワーク

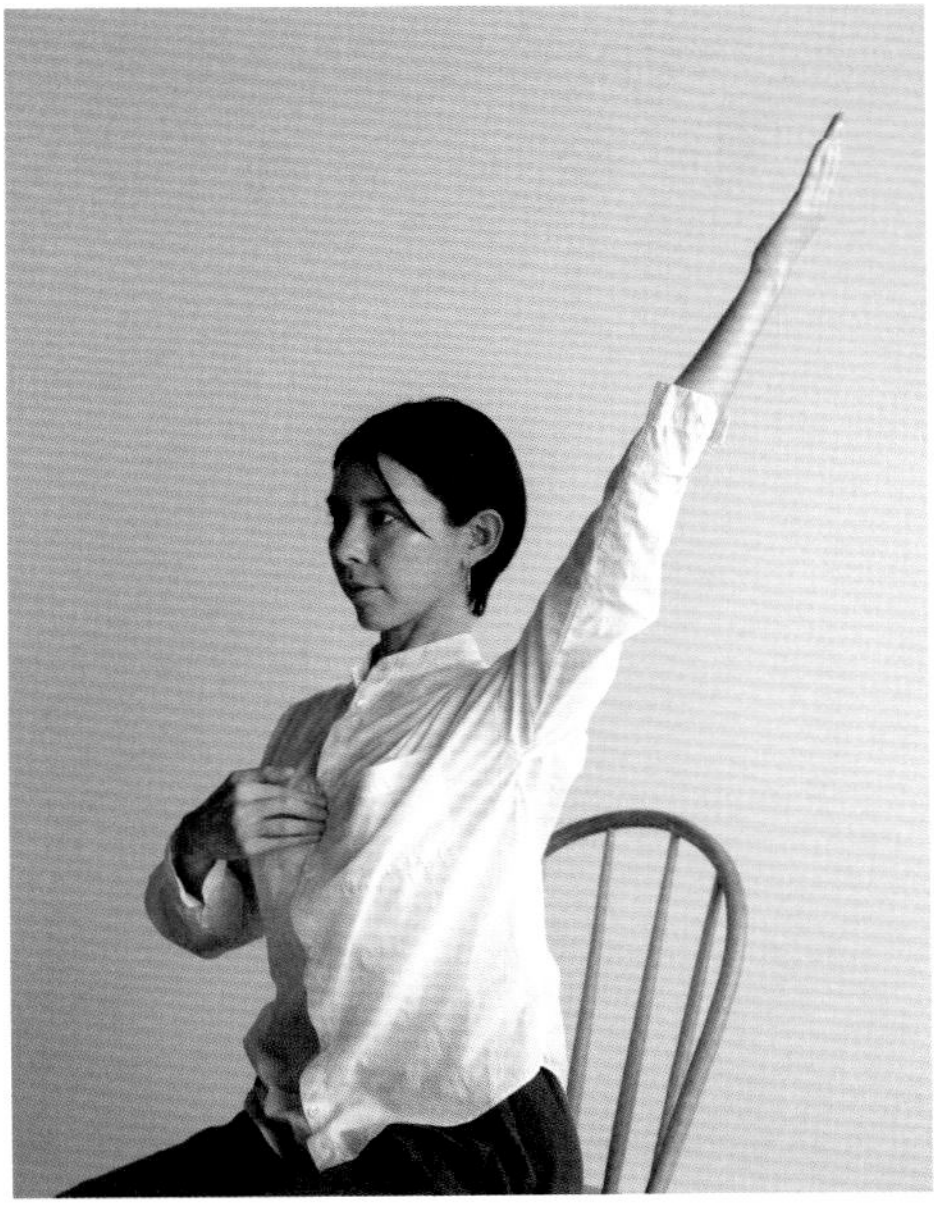

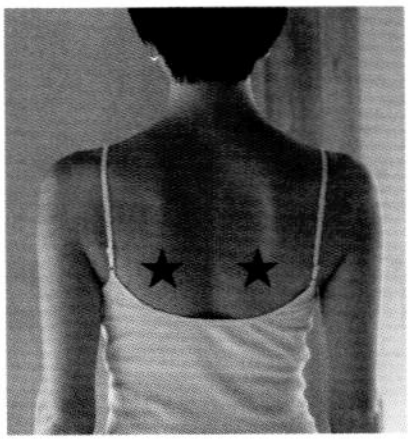

1.

右手を胸の真ん中に添え、左手を上斜め45度の角度に真っすぐ伸ばす。

2.

そのまま胸を前に突き出す。その時に★の位置が動いていることを意識して。

3.

反対側も同様に。左右5回ずつ繰り返す。

昼の時間帯におすすめのハーブ一覧

ルイボス

南アフリカの過酷な環境で生き抜く抗酸化力のとても高いハーブ。ミネラルも豊富に含まれ、代謝を促進し冷え症や便秘改善の効果がある。飲みやすい味で世界中で親しまれている。

【作用】抗酸化、代謝促進
【からだ】冷え、便秘、アレルギー体質改善、循環不良、代謝促進
【こころ】活力アップ
【ブレンド例】
＋ローズマリー：代謝促進、冷え解消、便秘改善
＋ネトル：アレルギー体質改善
＋ハイビスカス：代謝促進、夏バテ予防

桑

食前に飲むと糖分の吸収を抑え、血糖値の急上昇を防いでくれる。水溶性食物繊維が豊富で、腸内環境を改善しながらビタミンやミネラルを補給。血液を浄化するクロロフィル、鎮静効果のあるGABAも含む機能性がとても高いハーブ。

【作用】血糖調整、鎮静、血液浄化
【からだ】ダイエット、糖尿病予防、肥満予防、腸内環境改善、便秘、ミネラル補給
【こころ】軽いリラックス
【ブレンド例】
＋ペパーミント：胃腸ケア
＋ヨモギ：デトックス、栄養補給
＋エゾウコギ：適度なリラックス、ストレスケア

レモンバーム

心身の緊張やヒステリー、パニックなどから救ってくれ、落ち着きを取り戻してくれる。消化器系の不調や偏頭痛、神経痛にも。育てやすくフレッシュハーブでもおいしい。

【作用】鎮静、鎮痙《ちんけい》、抗菌、抗ウイルス
【からだ】神経性胃炎、過敏性腸症候群、消化器系の不調、おなかの張り、ヘルペス、不眠
【こころ】不安、ヒステリー、パニック
【ブレンド例】
＋レモングラス：心因性の消化器系の不調、ストレス
＋ペパーミント：消化促進、過敏性腸症候群
＋エゾウコギ：ストレス性の消化器系の不調、気分の落ち込み

ネトル

浄血と造血の働きがあるネトル。血液の汚れを浄化しながらアレルギー体質を改善。クロロフィルやビタミン、ミネラル、葉酸も豊富に含み、特にビタミンCと鉄分を一緒に含むため貧血予防にも役立つ。利尿作用が強く、老廃物を排出してくれる。

【作用】利尿、浄血、造血
【からだ】花粉症、アレルギー体質改善、貧血予防
【こころ】気分安定
【ブレンド例】
＋ルイボス：アレルギー体質改善
＋ペパーミント：体内浄化、消化促進
＋桑：デトックス、体内浄化

オレンジフラワー

ビターオレンジの花。華やかな香りと少しの苦味のハーブティーはこころをリラックスさせ、悲しみや不安から救い出してくれる。消化器系の不調や美容にも効果的。精油はネロリと呼ばれる。

【作用】鎮静、緩和
【からだ】消化器系の不調、不眠、美肌
【こころ】不眠、神経衰弱、不安、落ち込み
【ブレンド例】
+レモンバーベナ：ストレスケア、気分の落ち込み、消化器系の不調
+ペパーミント：消化器系の不調、過敏性腸症候群
+ローズ：美肌、リラックス

エゾウコギ

北海道以北に生えるウコギ科のハーブ。ストレスに適応する力を高め、疲労回復、婦人科系の不調改善、脳の記憶力改善などに効果がある。からだを温め、滋養強壮効果も。葉は苦味があり、根の方が飲みやすい。高血圧の人は使用に注意。

【作用】強壮、免疫賦活、抗ストレス
【からだ】疲労回復、生理不順、生理痛、更年期の不調、運動能力を高める、集中力を高める、免疫力アップ、感染症予防
【こころ】ストレス、更年期による不調
【ブレンド例】
+ルイボス：冷え改善、疲労回復
+レモンバーム：ストレスケア、消化器系の不調改善、PMS改善
+オレンジフラワー：冷え改善、ストレスケア、消化器系の不調改善

熊笹

血液を浄化し、新しい血を作る助けにも。口臭や体臭予防に役立ち、免疫力のアップ、ガン予防、アレルギー体質の改善効果も。さっぱりとした味で飲みやすく、ビタミンB,Cやミネラル（カルシウムなど）も多く含む。

【作用】抗菌、消炎、免疫増強、解毒、浄血、造血、利尿、健胃、抗ガン
【からだ】便秘、口内炎、口臭、貧血、胃腸の不調、ガン予防、アレルギー体質改善、糖尿病、高血圧
【こころ】リフレッシュ
【ブレンド例】
+ペパーミント：体質改善、消化促進
+ネトル：貧血解消、アレルギー改善
+ヨモギ：デトックス、強壮

レモンバーベナ

シトラス系の香りでさわやかなおいしさ。穏やかな鎮静効果があり、休日や夜のリラックスタイムにもぴったり。消化促進作用もあり、食後のお茶にも。飲みやすいのでシングルや、飲みにくいハーブとの味の調整にも。フレッシュハーブの香りがすばらしい。

【作用】鎮静、緩和、消化促進
【からだ】食欲不振、消化不良、安眠
【こころ】興奮を鎮める、穏やかなリラックス
【ブレンド例】
+レモンバーム：シトラス系ブレンド、リラックス
+ラベンダー：ラベンダーを飲みやすく、消化器系ケア、リラックス
+ペパーミント：消化促進、リラックス

昼の時間帯におすすめの精油一覧

マンダリン

中国原産のマンダリンオレンジの精油。自律神経を安定させ、気持ちを落ち着かせたり、ラクにしたりしてくれる。不安や緊張が強い時に。ストレスによる消化器系の不調にも。妊婦や子どもにも安心して使える精油。

【作用】鎮静、抗うつ、自律神経調整、強壮、ガス排出、消化促進
【からだ】便秘、下痢、消化不良、食欲不振、腹痛、不眠
【こころ】リラックス、安心、緊張の改善
【ブレンド例】
+オレンジ：明るい気持ちに
+ペパーミント：消化器系の不調に
+ラベンダー：腹痛に

ホーウッド

クスノキ科の樹木から抽出される精油。リラックスに導きながらも疲労を回復。精神的なストレスの回復や緊張の解消、不安の軽減に。ワシントン条約で保護の対象となったローズウッドの代替えとして使用される。

【作用】鎮静、抗不安、強壮、抗菌
【からだ】呼吸器系疾患の改善、神経強壮
【こころ】精神疲労回復、リラックス
【ブレンド例】
+オレンジ：精神疲労回復、ストレスケア
+プチグレン：自律神経調整、ストレスケア
+バジル：精神疲労回復

ペパーミント

さわやかな香りが精神疲労を回復。集中力を高め、冷静さを取り戻してくれる精油。吐き気やムカつきなど胃の不快感を軽減させる。炎症を抑える作用があるので筋肉痛や肩凝りなどのマッサージにも。風邪や花粉症時の呼吸器系の症状にも効果的。

【作用】活力増進（のち鎮静）、神経強壮、血圧上昇、健胃、消化促進、ガス排出、去痰、抗炎症、抗菌、抗ウイルス
【からだ】おなかの張り、消化不良、胸焼け、吐き気、筋肉痛
【こころ】リフレッシュ、目覚め、時差ぼけ、集中力の低下
【ブレンド例】
+オレンジ：前向きさ、明るさを取り戻す
+ジュニパーベリー：呼吸器系の改善
+ティーツリー：感染症予防

スイートオレンジ

こころもからだも温めてくれ、明るい気持ちにさせてくれる太陽のような精油。前向きになりたい時、リラックスしつつ元気も欲しい時、冷えがある時や消化器系の不調のある時に。老若男女に人気の香り。

【作用】精神高揚、鎮静、消化促進、食欲増進、健胃、血行促進
【からだ】消化不良、下痢、便秘、冷え
【こころ】精神疲労、落ち込み、不安、不眠
【ブレンド例】
+ローズマリー：精神疲労回復、冷え改善
+ジンジャー：強壮、血行促進
+プチグレン：リラックス、ストレスケア

バジル

精神的な疲労の回復、記憶力、集中力を高めたい時に。神経性の消化器系の不調や痛み、痙攣《けいれん》の改善をはかる。自律神経の調整をして、バランスを取り戻す。責任感が強過ぎてストレスの多い人に。

【作用】自律神経調整、頭脳明晰、鎮痙《ちんけい》、鎮痛、消化促進、健胃、胆のうの働き改善
【からだ】神経性の痙攣、動悸、胃痛、腹痛、消化不良、下痢、便秘
【こころ】慢性疲労、無気力、不安、緊張、ストレスケア
【ブレンド例】
＋オレンジ：精神疲労の回復、抗不安
＋ペパーミント：集中力アップ、頭脳明晰、精神疲労回復、消化器系不調改善
＋レモングラス：精神疲労回復、消化器系不調改善

プチグレン

ビターオレンジの葉から抽出される精油。こころがざわざわした時に落ち着かせたり、深刻になり過ぎる時に気持ちを軽くしてくれる。ストレスからくる動悸や高血圧、消化不良の改善。自律神経のバランス調整に。

【作用】鎮静、鎮痙《ちんけい》、抗うつ、神経強壮、自律神経調整、血圧降下
【からだ】ストレス性の動悸、高血圧、消化不良、胃痛
【こころ】不安、自律神経バランスの改善、ストレスケア
【ブレンド例】
＋マンダリン：ストレスケア、不安、不眠
＋ペパーミント：ストレス性の消化器系不調の改善
＋ラベンダー：ストレス性の高血圧の改善

ジュニパーベリー

デトックスで有名な精油。スーッとした針葉樹の香り。精神疲労を回復し集中力を高め、自律神経バランスを調整。循環が悪い時のマッサージ、関節炎や筋肉痛のトリートメントにも。膀胱炎の時にも◎。作用が強いので２週間以上の連続使用は禁止。

【作用】強壮、抗炎症、抗菌、抗カタル、鎮痛、通経、利尿
【からだ】むくみ、冷え、筋肉痛、神経痛、リウマチ、静脈瘤、膀胱炎、ニキビ、脂性肌改善
【こころ】リフレッシュ、浄化
【ブレンド例】
＋バジル：精神疲労の回復
＋プチグレン：自律神経バランスの改善
＋ローズマリー：リウマチ、神経痛、集中力回復

ジンジャー

心も身体も疲れ切っている時に活力を回復してくれる。血行促進、代謝アップ、消化器系の不調の改善。ショックやストレスで無気力になってしまった時、精神的に停滞している感覚の時、集中力や意欲を回復したい時に。

【作用】強壮、代謝促進、血行促進、発汗、食化促進、ガス排出、健胃
【からだ】消化促進、便秘、吐き気、冷え、肩凝り、腰痛
【こころ】気力回復、集中力回復
【ブレンド例】
＋マンダリン：ストレスケア、気力回復
＋ペパーミント：消化器系不調改善、集中力アップ
＋ホーウッド：ストレスケア、精神疲労回復

夜のセルフケア

「ゆる活」は夜のセルフケアが最も役立ちます。
交感神経をオフにし、
からだとこころをしっかり休めさせることが、
自律神経ケアの第一歩です。

からだを休める夜ごはん

夜は、眠っている間にこころとからだを修復する時間帯。夕飯もその助けになるようなタンパク質やビタミン、ミネラルをしっかり取りたいところ。また、朝食は食べず、夕飯の量やカロリーが一番多いという人が結構いますが、夜は消化の良いやさしいものをいただくようにしましょう。

夜中にしっかり胃腸を休めると、朝起きた時からおなかが空いた状態に。この循環が自律神経のバランスを整えるのに大切です。ですから、寝る3時間前までに夕飯は済ませたいところ。夜間低血糖の気がある人は、寝る前にはちみつ入りハーブティーを飲むのがおすすめです。

夕食は油物を控え、煮る、蒸すといった調理法に。油を取る際にはスープやサラダを食べる直前に、質のいいオリーブオイルやごま油、オメガ3系のアマニ油やシソ油を小さじ1杯程度かけましょう。油を酸化させることなく、体内炎症のリスクを減らします。

次に紹介するのは、タンパク質もしっかり取れて胃腸にやさしい滋味深い薬膳スープ。消化酵素を含むショウガと一緒に煮込みます。クコの実はビタミンが豊富、ナツメはからだを温め、貧血予防にもなる美容フードです。大根おろしを入れてもいいですね。

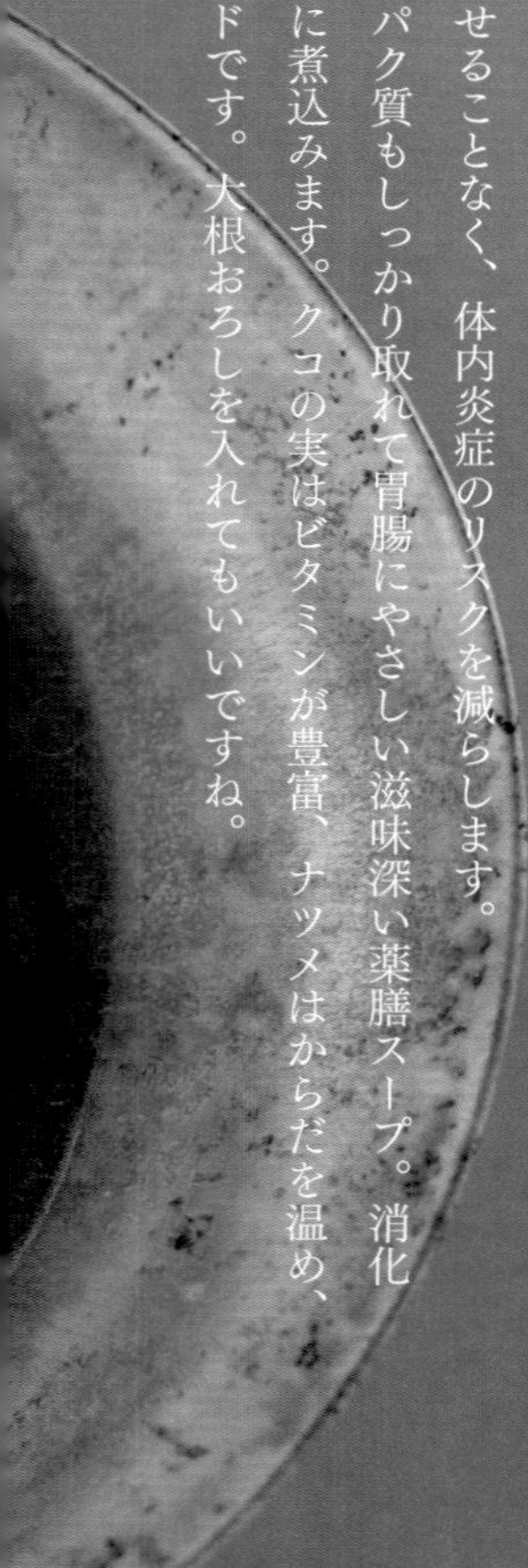

手羽元とゴボウ、ショウガのスープ

［ 材料 ］（一人分）

手羽元：3本
かつお節厚削り：2～3枚
ゴボウ：⅓本
ショウガ：ひとかけ
ナツメ：1粒
クコの実、長ネギ、パクチー：適量
醤油：小さじ1
塩：ひとつまみ

［ 作り方 ］

①手羽元は軽く湯通ししておく。
②かつお節は水500㎖に30分～1時間くらい浸した後、中火でひと煮立ちさせたら火を止め、濾《こ》して出汁を取る。
③ゴボウは薄切り、ショウガは千切りにする。
④出汁を鍋に入れ、手羽元、ゴボウ、ショウガ、ナツメを加えて中火で煮る。煮立ったら弱火にし、アクが出ていたらこまめに取り除く。
⑤ゴボウと鶏肉に火が通ったら、醤油と塩を加えて味を調整する。
⑥器に盛り、クコの実、薄く切った長ネギ、パクチーをのせればでき上がり。

夜の鎮めるハーブティー

夕方〜夜にかけて徐々にからだやこころをゆるませるには、鎮静作用のあるハーブが有効です。飲むタイミングは、お風呂上がり、寝る90分前くらいから飲み始めるのがおすすめですが、人によっては寝ている間にトイレが近くなってしまうことも。そんな方は夕飯後から少しずつ飲み始めて、昼間の興奮をゆっくりクールダウンさせていきましょう。

一番に試して欲しいのはジャーマンカモミール。甘い花の香りとまろやかな味わいで、消化器ケア、婦人科ケア、美肌に、と万能です。エルダーフラワーは「マスカットのような」と表現されるほんのりフルーティーな甘い味わいと香りで、ほかのリラックス系ハーブを飲みやすくしてくれます。天然の精神安定剤と言われるパッションフラワーや抗うつ作用のあるセントジョーンズワートは、昼間、いつもより刺激をたくさん受けたなという時に。

ハーブティー一杯だけではゆるんだ実感が得られない人は、日中に受けた緊張度がそれだけ高いということ。夕飯後から寝る前までに2〜3杯飲むなど量を増やしたり、ほかの「ゆるめるケア」を同時に行ってみてください。

黄色い花のリラックスブレンド

［ 材料（カップ2杯分）］

ジャーマンカモミール：小さじ1
オレンジフラワー：小さじ½
エルダーフラワー：小さじ½
エゾウコギ：小さじ½

［ 効能 ］

淡い黄色の花が3種入った見た目にもかわいらしいブレンド。ジャーマンカモミールとエルダーフラワーの甘い香りとオレンジフラワーの華やかな香りが夜のリラックスタイムにぴったり。エゾウコギは抗ストレス作用があり、ほかの3種のハーブと一緒に1日頑張ったこころとからだの緊張をほぐしてくれます。

おなかをやさしくいたわるリラックスブレンド

[材料（カップ2杯分）]

リンデン：ひとつまみ
オレンジフラワー：小さじ½
レモンバーベナ：小さじ1
ジャーマンカモミール：小さじ½

[効能]

やさしく甘い香りのリンデンも夜に飲みたいリラックスハーブの一つ。主張の強い味ではないけれど、まろやかでやさしい味わいがハーブティー全体をおいしくしてくれます。オレンジフラワーとレモンバーベナ、そしてジャーマンカモミールは、リラックスと消化を助けてくれるハーブたち。夕飯後に飲んで、就寝中に胃腸を休ませましょう。

女性性を高めるブレンド

[材料（カップ2杯分）]

ローズ：小さじ1
アンジェリカ：小さじ½
月桃：小さじ1
ラベンダー：小さじ¼

[効能]

リラックス、婦人科ケア、美容に使用されるローズは女性の味方。ローズの香りは特別です。アンジェリカも古今東西婦人科ケアに使用されるハーブ。心身を鎮静しつつ、冷えを解消してくれます。月桃の甘い香りもリラックス効果抜群で、更年期ケアにも。ラベンダーを少量加えることで心身をほぐし、眠気を誘います。

[夜の鎮めるハーブティー]

静かな夜のための
青いブレンド

[材料(カップ2杯分)]

マロウブルー：小さじ山盛り1
コーンフラワー：小さじ1
エルダーフラワー：小さじ1
パッションフラワー：小さじ1/3
セントジョーンズワート：小さじ1/3

[効能]

大きな花びらが美しいマロウブルーは、お湯を注ぐと青い色が出るハーブ。同じく青い色がきれいなコーンフラワーと合わせて、ゆっくりとゆらぐ花びらを眺めれば、それだけでこころが落ち着きます。鎮静力の高いパッションフラワーとセントジョーンズワート両方を加えて安眠に導き、エルダーフラワーが味の調整役に。おいしく、胃腸を整えます。

深い眠りにつくためのボディワーク

夜に質のいいリラックスした時間をつくる＝自律神経を副交感神経優位にすることの大切さは、本書の中で何度も伝えているところですが、そのためには深い呼吸が必須です。ここでは深い呼吸ができるからだになるためのボディワーク（P.174〜）をご紹介します。

ゆっくりと深く呼吸をする、吸うよりも吐くを長くする呼吸法は、こころもからだもリラックスできるので自律神経の調整にはとても効果的ですが、からだが強張っていて筋肉が緊張していると、深く息はできません。いつも呼吸が浅い、息を深くしようとすると苦しいという方は、まずは呼吸ができるからだにする必要があります。

私たちが呼吸をする時に使う重要な筋肉は「肋間筋《ろっかんきん》」と「横隔膜」です。肋骨の間にスペアリブのようについているのが肋間筋、肋骨の底辺にドーム型についているのが横隔膜です。肺は自分で動くことができず、近くの筋肉に動かしてもらっていますが、なかでもこの二つは代表的な呼吸筋で、肋間筋が肋骨を広げたり狭くしたり、横隔膜が上がったり下がったりすることで、肺が動き呼吸が行われます。

デスクワークなどで１日からだを動かさないでいると、脇腹の筋肉が固まってしまい、肋間筋や横隔膜の動きも悪くなります。すると深い呼吸ができなくなります。

そうなると必要な酸素が足りないので、肩や首にある呼吸補助筋を使って息をします。ここを使う呼吸は、浅く早く交感神経が優位になる呼吸です。つまり、肩が上がった姿勢が続くと、呼吸が浅くなり、首や肩が凝り、夜になってもゆるむことができず、眠りの質の低下につながるのです。

ですから、1日の終わりに肋骨周りの筋肉や、首や肩の筋肉の緊張をゆるめるこのボディーワークをすると、肩の力がストンと抜け、息が深く吐けるようになります。筋肉は、息を吸いながら縮め吐きながら戻すとゆるむ性質がありますので、その特性を生かしたとても簡単な動きです。

これだけでもいいのですが、この状態になってから瞑想や呼吸法をすると、さらに深くゆるみとても上質なリラクゼーション効果を得ることができますし、深い睡眠にも入ることができます。ベッドの上で寝たままでできますから、ぜひ取り入れてみてください。

深い眠りにつくためのボディーワーク

1.

ヨガマットの上に横向きに寝て両ひざを曲げて腰からひざまでが、真っ直ぐになるようにひざ下を後ろに曲げる。頭はクッションや丸めたタオルを入れて首が床と平行になるように固定する。

2.

上の肩に反対側の手をのせる。後ろ側、真ん中の硬くなっている位置を触りながら息をゆっくり吸いながら肩をすくめるように上に上げ、吐きながら降ろす。左右10回ずつ繰り返す。

3.

次に、上の脇腹に手を添えて下に下げながらなるべく長く息を吐く。息を吐き切ったら自然に吸いながら元に戻す。左右10回ずつ繰り返す。

目の疲れを癒すアロマ蒸しタオル

パソコンやスマホの長時間使用は目を酷使させ、目の疲れや乾きが日常化してしまいます。さらに今は、紫外線やコンタクトレンズの長時間使用による角膜のダメージも重なります。目の疲れは、肩凝り、頭痛を引き起こす原因。定期的に目を休ませることが大切です。

ここでご紹介する「アロマ蒸しタオル」は、目と首を温めることで筋肉の緊張をゆるめ、血流を良くします。ドライアイも緩和され、眠りも深くなるでしょう。

また、耳にも全身のツボがあり、リンパ節が多く存在します。蒸したタオルを耳にまであてることで、めまいや耳鳴りの改善につながります。

蒸しタオルを作る際におすすめの精油は、リラックス効果の高いラベンダーやローズゼラニウム、ローズやローマンカモミール、マジョラム、イランイラン、ジャスミンなど。フランキンセンスやベルガモット（ベルガプテンフリー※P.194参照）ならさわやかさも併せ持つ香りなので、男性にもおすすめです。

P.184のオイルトリートメントの後に取り入れると、まるでスパに行ったかのような深いリラクゼーション効果が得られるでしょう。その際は、部屋を暗くして行ってください。

[蒸しタオルの作り方]

洗面器に700ml程度の熱湯を入れて、好みの精油を1〜2滴垂らします。フェイスタオルを横長にした時の長い方を半分に折り、横長のまま上から丸めて棒状に（長さ約40 cmの棒状）。そのタオルの両端を持って、真ん中だけ洗面器の熱湯に浸けます。持っている部分にお湯がつかないよう気をつけてください。十分に湿ったら、軽く絞ります。

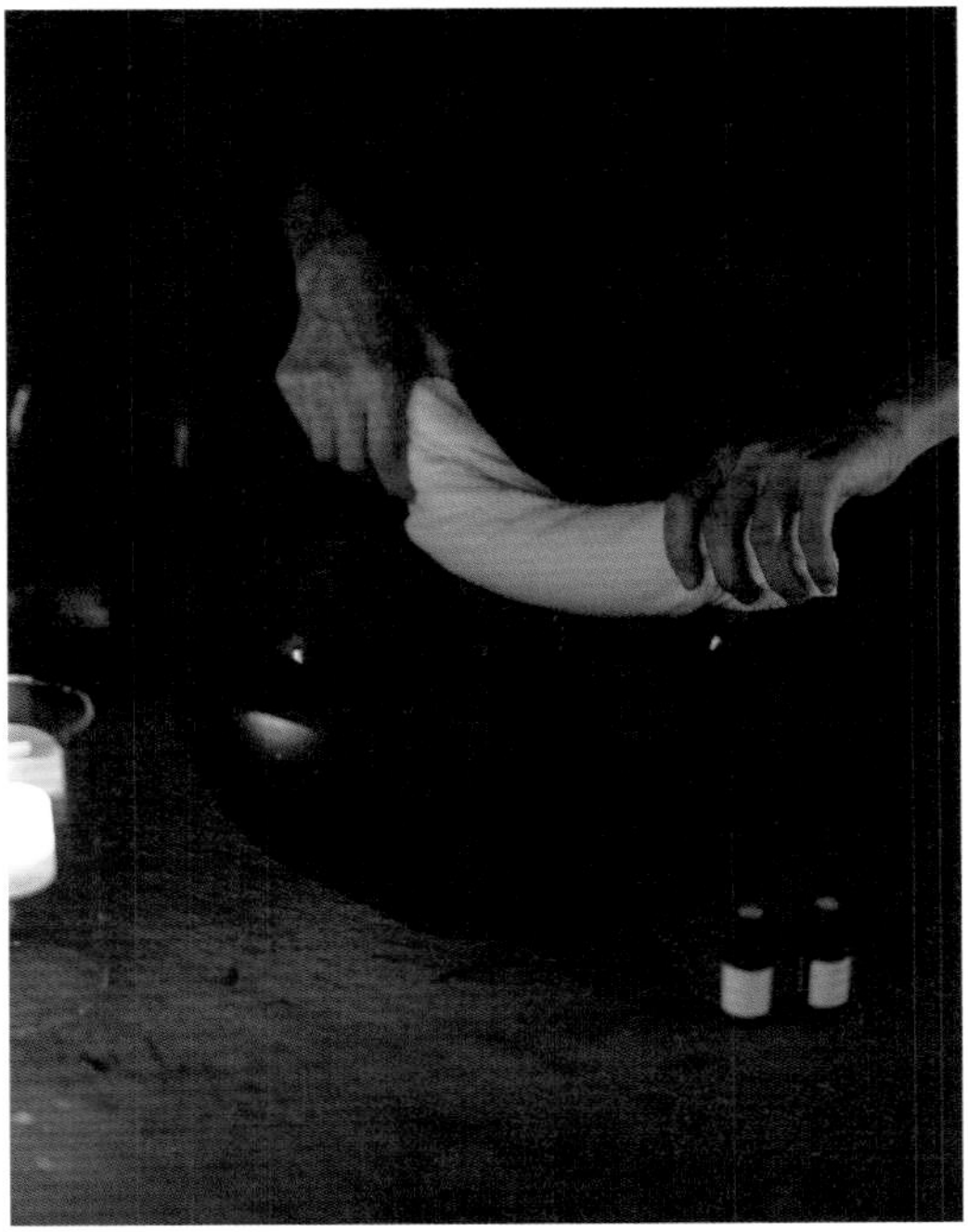

[効能]

簡単で心身がゆるむ効果のとても高いケア。蒸しタオルの温かさが筋肉の緊張を、精油の香りが神経系、こころをほぐします。寝る前に首や肩、目の疲れをしっかりと癒すことで眠りの質を上げます。

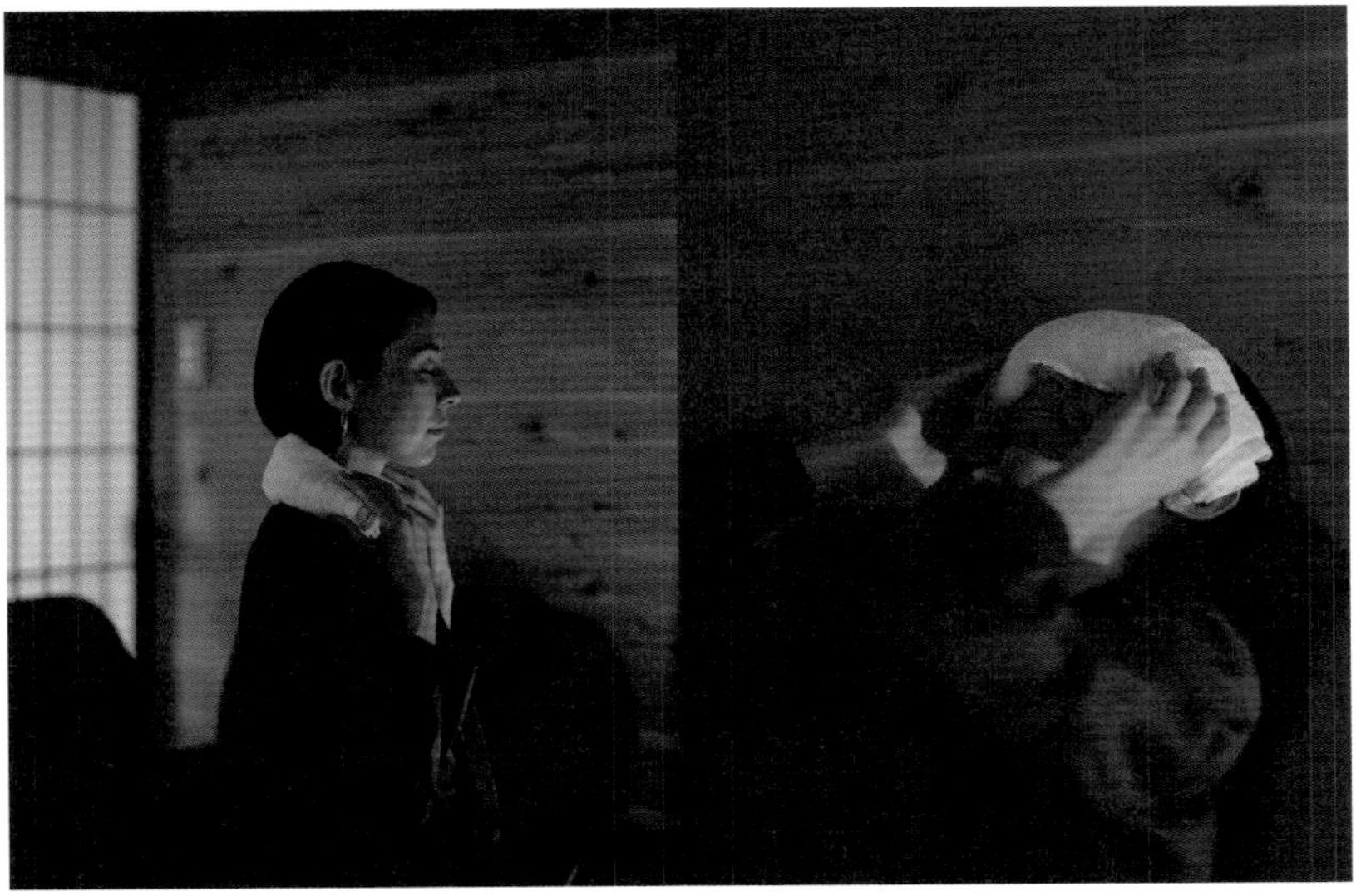

お風呂でハーブ、精油を楽しむ

講座の中でのカウンセリングシートを見ると、自律神経が乱れる、婦人科系の不調がある人は、お風呂に入らずシャワーで済ませている方が多くみられます。

入浴による健康効果は計り知れません。血流が良くなり、全身に酸素や栄養分が運ばれ、からだにたまっていた疲労物質や老廃物の排出が促進されます。そして、副交感神経優位のリラックスした状態にしてくれます。

お風呂にハーブや薬草を入れることで、さらにその効果は高まり、お風呂から上がった後のからだの温まりも持続されます。

浴室の電気を消して暗くすると目や頭の疲れがより癒えて、香りに意識が集中し、ゆるむ効果も倍増します。ただし、熱過ぎる湯温は交感神経を優位にしてしまうので、40度くらいの、20分以上ゆっくり浸かっていられる温度設定にすることが大切です。

〈お風呂での楽しみ方〉

ドライなら大さじ3～10杯程度のハーブを浴槽に入れます。フレッシュならカットした状態で小さめのボウル1杯分くらいを700mℓ〜1ℓの水に入れ、沸騰してからさらに3〜5分、色と香りがしっかりと出るまで煮出します。ザルなどで濾《こ》してから浴槽に入れます。

その日に飲んだハーブティーの出涸らしを使うのもいいでしょう。その際は1煎で飲み終えて、ザルにためておいてください。出汁用の袋にハーブを入れて煮出し、袋ごとお湯に入れる方法もいいでしょう。

精油は一回の入浴につき、4〜5滴を浴槽に入れます。香りは一種類でもいいですし、2〜3種類混ぜても。その際は合計で4〜5滴にしてください。精油は水には溶けませんが、風呂の水量に対してほんの少量でしたら入れることができます。その際はお湯をよく混ぜて、精油原液の固まりが肌にあたらないように。

もし刺激を感じるようなら、小さじ1杯の植物オイル（ホホバオイル・マカダミアナッツなど）や、エタノール、P.212の塩やクレイを使った入浴剤に混ぜると緩和されます。

[お風呂でハーブ、精油を楽しむ]

香り高い和の温めブレンド
黒文字×トウキ葉

[効能]

香り高い薬草の組み合わせ。日本のローズウッドと呼ばれる黒文字は鎮静効果、肌を整える効果が高く、上品な香り。トウキは冷えのある女性の味方。根は漢方薬として使われるが葉でもしっかり温めてくれる。

黄色い花の
万能美肌ブレンド
ヨモギ×カモミール

[効能]

日本と西洋の万能キク科の組み合わせ。お灸の材料にも使われるヨモギは、血行を促進し、芯から温める。カモミールの甘い香りがリラックス効果を高め、こころもほぐしてくれる。ヨモギ、カモミールともに肌を整える効果も。

リラックスと浄化のブレンド
ベルガモット×フランキンセンス

［効能］

スッとした大人な香りの組み合わせ。柑橘の中でもリラックス力が強いベルガモットと、キリスト教のミサでも使われる神秘的な香りのフランキンセンス。鎮静力が高く、穏やかな気持ちに導いてくれる。甘い香りが苦手な方にも。

深い癒しに導くブレンド
イランイラン×サンダルウッド

［効能］

甘い花の香りで深くリラックスさせてくれるイランイラン。特に脳や精神的に疲労がある時に奥の方までゆるめてくれる。白檀の精油サンダルウッドは鎮静力が高く宗教儀式でも使われる。樹木の落ち着きと包容力のある深い香り。

全身を心地よく温める「足浴」

頭ばかり使いがちな生活は、気も血もからだの上にのぼってしまい、「冷えのぼせ」を起こします。手先や下半身は冷え、顔や頭、上半身が熱い状態です。

冷えのぼせが強い方は、からだが冷えているにも関わらず、温めると熱い、気持ちよくないと感じる方が多いです。熱のバランスを変えずにただ温めると、のぼせが加速してしまうので心地よく感じないのです。

こういう時に温めるのは、下半身。温かいハーブティーを飲みながらゆっくり10～30分足浴をすると、全身の血行を良くし、むくみを改善します。

セレクトするハーブは、リラックス効果、温め効果のあるものを選びます。ラベンダーやローズ、オレンジフラワーは香りが良くこころもほぐし、ヨモギやトウキ葉、フェンネルの種、オレンジピールなどの柑橘系の皮は血行を促進してくれます。

精油なら、スイートマジョラムやスイートオレンジはリラックスと温めの両方が叶います。ラベンダーやローズゼラニウム、ジャスミンは、香りによる鎮静効果が期待できます。

終わった後は、熱を冷まさないよう靴下やスリッパを履くのをお忘れなく。

［材料］

マロウブルー：大さじ2
ラベンダー：大さじ1
トウキ：大さじ2

※量は容器の大きさで調整してください。

［やり方］

足首までしっかり浸かるといいので、少し深さのあるタライや大きめのプラスチックバックを使います。容器にドライハーブを入れ、熱湯1000mℓ程度注ぎ、3〜5分して色や香りが十分に出たら、水を入れて適温に調整します。精油の場合は最初から42度くらいのお湯でもOK。そこに1、2滴好みの精油を垂らし、手でよく混ぜてから足を入れます。ぬるく感じてきたらお湯を足してください。

［効能］

保湿力があり見た目の美しいマロウブルー、香りが良くゆるめる効果の高いラベンダー、温め力の強い薬草トウキ葉のブレンド。トウキは婦人科系の漢方薬にも使われる女性にうれしい薬草。根は薬扱いですが、葉はお茶として流通しています。

安眠のためのトリートメント

精油でのマッサージには、①香りの力でこころがほぐれる↓②肌から浸透する成分で筋肉の緊張がゆるむ↓③マッサージをすることで血液やリンパ液の流れが良くなり、むくみや疲労が解消される……というように様々な効果が期待できます。

夜のトリートメントには、体液の流れを良くしつつリラックス効果の高いローズゼラニウムやマジョラムスイート、ベルガモットやスイートオレンジ、こころもからだも深くゆるめるイランイランやラベンダーなどを使います。マッサージオイルの作り方はP.185を参照してください。

「鎮静効果」という同じ効能のある精油でも、心身の状態によって感じ方が変わるので、いつも同じではないのが不思議なところ。どんな香りを欲しているか、何が心地よいと感じるか、内側に問いかけながら選んでみてください。回を重ねるごとに、今の自分が欲しているものがはっきりとわかるようになってきます。

首と肩、頭は毎晩ほぐしたい箇所。この部分の凝りや滞りが頭痛や不眠を引き起こすので、このケアを続けることが睡眠の改善になります。湯船に浸かりながら行うと、より血行が良くなって効果も倍増。髪はマッサージ後にシャンプーをしてください。

脚はお風呂上がりがおすすめです。座りっぱなしや立ちっぱなしなど、動きが少なかったり冷えていたりで、むくみやすいひざから下を特にほぐすと、全身の流れが良くなります。どのマッサージもむくみ、たるみの解消になり、美容効果が期待できます。


〈オイルマッサージのやり方〉

それぞれの部位に、マッサージオイルをまんべんなく広げてから始めます。どの動きも、「気持ちよくほぐれたな」と思うまで5～10回繰り返します。圧は強過ぎず、気持ちがいい程度。できるだけゆっくり、呼吸と合わせながら手を動かします。

部位別の詳細は、P.186～を参照してください。

［マッサージオイルの作り方］

50mℓの植物オイルに対して合計10滴の精油を加える。キャリアオイルは保湿力が高く酸化しづらいホホバオイル、マカデミアナッツオイルがおすすめ。サラリとしたテクスチャーが好きな方はホホバ、しっとりしたテクスチャーが好みの方はマカダミアを。

精油は、ローズゼラニウムとサイプレスを使用。どちらもリンパの流れを促し、むくみの解消、老廃物を排出しやすくしてくれる。女性ホルモンバランスも整える効果も。さらにゼラニウムは肌を整え、心をリラックスさせてくれる。

（※子宮筋腫、子宮内膜症などエストロゲン過剰の疾患がある人はサイプレスを避けて）

［安眠のためのトリートメント］

脚のマッサージ

1.

オイルを手のひらになじませ、脚の甲の骨と骨の間に親指を置き、足首から爪先に向けて流していく。これを足の親指から小指まで順番に。

2.

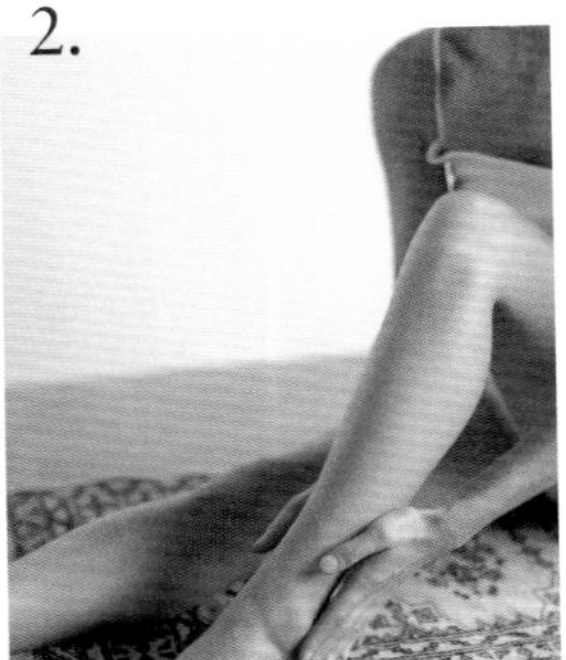

足の外側と内側、両方のくるぶしの骨の周りに両手の4本の指を添え、円を描くようにクルクルと周りをほぐす。

3.

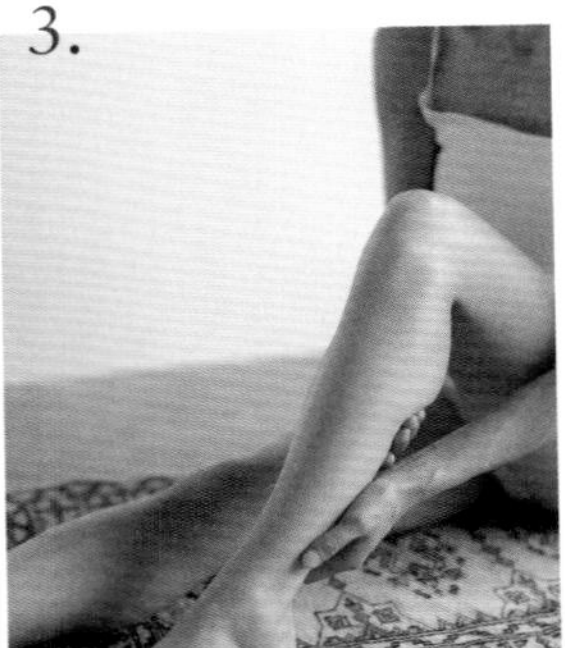

両手の4本の指をアキレス腱に当て、足首からひざ裏に向けてふくらはぎを流していく。左右交互に数回ずつ行う。

頭のマッサージ

1.

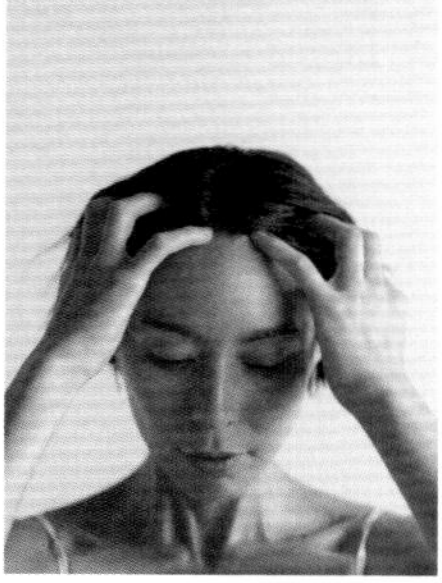

オイルを手のひらに広げ、頭皮になじませる。5本の指を前髪の生え際に沿って立て、頭皮をクルクルと回すように動かす。気持ちよくほぐれたら1㎝ずつ後ろにずらし、頭頂まで同じように移動させる。

2.

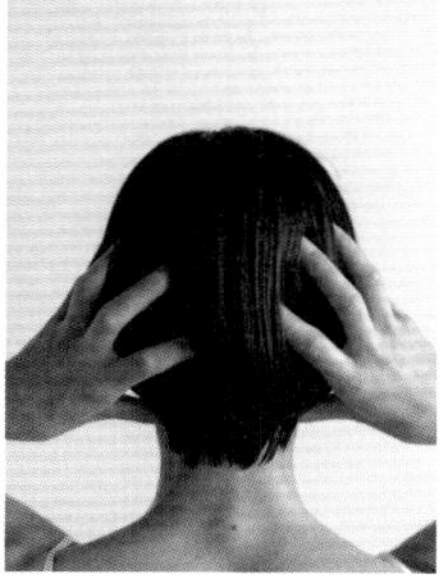

小指を耳の上の生え際、親指をうなじの左右の端につけて、①と同じように頭皮をクルクルと回す。そこから少しずつ上に移動して頭頂まで。

3.

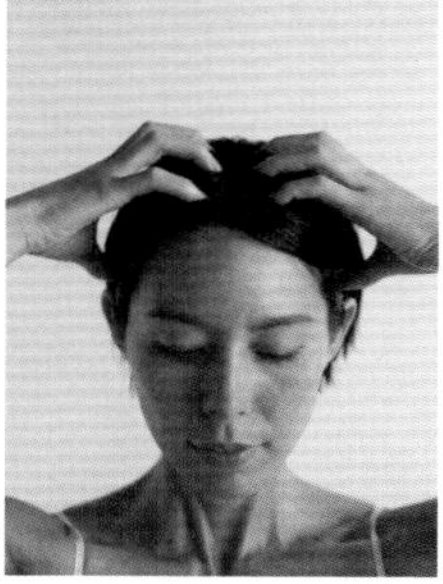

首の付け根、髪の生え際に左右の指4本を当てクルクルと回し、そのまま少しずつ上に移動して頭頂部まで行う。最後に固く感じたところや特に気持ちよく感じたところを念入りにほぐす。

首、肩のマッサージ

1.

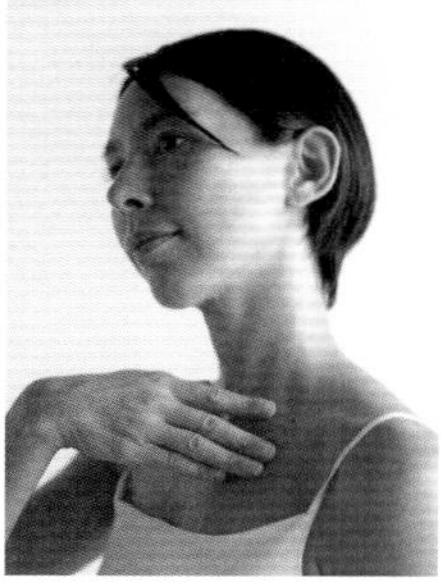

オイルを手のひらになじませ、右手の人差し指と中指で左の鎖骨を挟み、首の下から肩の方へ向けてスライドさせる。気持ちよくほぐれたら右側も同じように行う。

2.

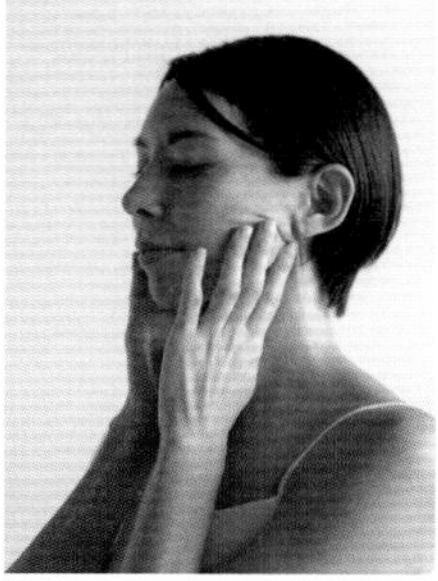

両手の人差し指と中指でフェイスラインを挟んで顎の下に当てる。そこから左右それぞれの耳の下までスライドさせる。

3.

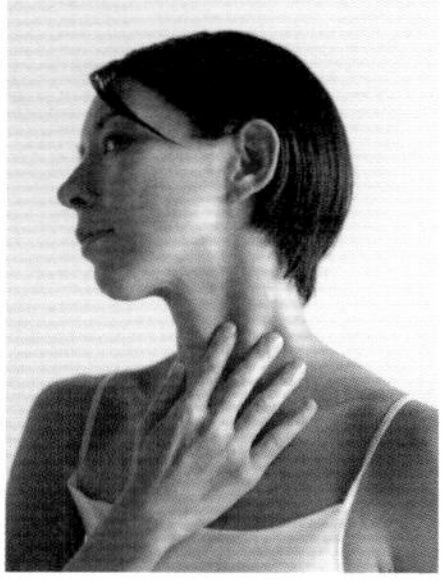

右を向いて、右手の人差し指と中指で耳の後ろにある筋肉を挟み、そのまま鎖骨まで降ろしていく（胸鎖乳突筋《きょうさにゅうとつきん》）。気持ちよくほぐれたら左も同じように行う。

眠りが深くなる夜の灯り

「夜は灯りを暗くして過ごす」。とてもシンプルなことですが、心身が深く安らぎ、日中に受けたいろいろな刺激がやわらぐのを感じるはずです。

夜に一番避けたいのは、青白い蛍光灯で上から煌々と照らしている状態。青〜白の光を目にすると、日中の交感神経のスイッチが入ったままで、なかなか眠りにつけません。スマホやパソコン、テレビも同じく、寝る1〜2時間前にはオフにしておきたいものです。

人間にとって長い年月の間、夜の闇を照らすものは月明かりと火だけでした。そう考えると、からだに自然な夜の明るさは、上からのほのかな灯りと、下から照らす間接照明の灯りで十分。

夜が長い季節の多いヨーロッパでは、暖かくやわらかな光の間接照明やキャンドルを多用して、その時間を楽しみます。日本人ももともと、月明かりや行燈《あんどん》の灯りの薄暗さ、静けさの中で美しさを見出す感性を持っています。蛍光灯の色を暖色系にする、調光のできる照明に変える、間接照明やキャンドルを取り入れる……。夜にふさわしい灯りで部屋を演出してみてください。眠気も自然と早くやってきて、睡眠の質がグッと上がることでしょう。寝つきの悪いお子さんも改善されますよ。

呼吸、ボディスキャン瞑想

寝る前にベッドの上でできるシンプルな瞑想です。

仕事や家事に追われた1日の終わり。様々な情報の中で、私たちの思考は過去や未来へとあちこちに飛び、からだとこころ、頭がバラバラになっています。緊張や不安、ストレスを感じ続けているのです。

ここでご紹介するのは、呼吸とからだの部位を一つ一つ観察していくシンプルな瞑想法です。バラバラになった意識を一つにし、精神と肉体を調和させ、精神疲労をやわらげてくれます。

ベッドの上に背筋を伸ばし、ラクな姿勢で座ります。壁と背中の間に枕やクッションなどをはさんで、背骨は立てたまま寄りかかるのもいいでしょう。手はひざのあたりにふんわりと自然に置きます。手のひらは上を向けても下を向けてもどちらでも構いません。

部屋の温度は暑くもなく寒くもない心地よい室温で、足が冷えやすい方はブランケットなどをかけましょう。必ず部屋の灯りは暗くして行ってください。

今日一日頑張った自分に、こころの中で「ありがとう」といたわりながら全身に意識を広げて。また、暖かくやさしい光がからだに広がっていくイメージをしてもいいでしょう。

［ やり方 ］

①軽く目を閉じて、呼吸に集中します。なるべく鼻からゆっくりと静かに長く息を吐きます。吐くたびにからだから余分な力みが抜けるような感覚で。吸う時は鼻だけでなく、からだ全体に新鮮な空気が入ってくるようにイメージします。

②穏やかさを感じたら、からだに意識をのばし、やさしい気持ちを送りましょう。左の足の裏、右の足の裏、いつも支えてくれている私たちの土台に感謝します。足の甲、すね、ふくらはぎ、もも……と、足全体に温かくやさしい眼差しを送ります。

③そこからお尻、おなか、背中、胸、肩、腕、手のひら、首、顔、頭と順番に意識をのばします。

夜の時間帯におすすめのハーブ一覧

ラベンダー

深いリラックスに導きながら心身を浄化してくれるハーブ。ゆるめる力が強いので夕〜夜のケアに最適。お花の味なので苦手な方は少なめに。ほんの少量混ぜるだけでも香り高く、効果も発揮しやすい。

【作用】鎮静、鎮痙、抗菌
【からだ】頭痛、肩凝り、腰痛、筋肉痛、自律神経失調症（夜）、高血圧、肌荒れ、不眠、神経性の胃腸障害
【こころ】不安、緊張、神経障害、神経疲労
【ブレンド例】
+レモンバーベナ：リラックスと胃腸ケア
+カモミール、ローズ：深い鎮静
+ペパーミント：リラックス、消化促進

ジャーマンカモミール

リラックスハーブの代表格。からだを温めこころを落ち着かせながら、消化器系のケア、婦人科系のケア、皮膚のケアもできる万能なハーブ。不安や不眠、緊張などゆるめたい時にまず試したいハーブの一つ。

【作用】消炎、鎮静、鎮痙《ちんけい》、ガス排出
【からだ】不眠、冷え、生理痛、生理不順、下痢、便秘、過敏性腸症候群、胃炎、頭痛、湿疹、肌荒れ、アトピー性皮膚炎、口内炎、歯肉炎
【こころ】緊張、不安、情緒不安定、落ち着きのなさ、ホルモンバランスによる落ち込み
【ブレンド例】
+エルダーフラワー：リラックス、温め
+ペパーミント：消化器系の不調に
+パッションフラワー：鎮痛、安眠、リラックス

セントジョーンズワート

サンシャインハーブと呼ばれる気分を明るくしてくれるハーブ。落ち込み、抑うつやPMSなどのこころの不調に。花をオイルに浸したものは炎症を抑えるので外用でやけど、皮膚炎や傷の治療にも。光感作に注意。薬を服用している時は医師に相談を。

【作用】抗うつ、鎮痛、消炎
【からだ】生理痛、神経痛、PMS、筋肉痛、やけど、傷、肩凝り、腰痛、不眠
【こころ】精神不安、抑うつ、落ち込み、PMS,更年期の精神不安
【ブレンド例】
+ジャーマンカモミール、ローズ：PMS、更年期の気分の落ち込みに
+レモンバーム：リラックスと消化器ケア
+リンデン：安眠
+ジャーマンカモミール：鎮痛、リラックス、消炎

パッションフラワー

天然の精神安定剤。リラックスや痛みを抑える効果にすぐれ、こころもからだもゆるめて深い睡眠に導く。シングルよりもブレンドすると飲みやすい。子どもや高齢者にも。妊娠中は控えめに。強い眠気を感じることがあるので運転前は控えて。

【作用】鎮静、鎮痙、鎮痛
【からだ】痛み全般（生理痛、歯痛、胃痛、頭痛）、高血圧、過敏性腸症候群、不眠
【こころ】不安、神経症、緊張、PMSや更年期による精神的不安定、落ち込み
【ブレンド例】
+ジャーマンカモミール：痛み、リラックス
+オレンジフラワー：心身性の消化器系症状
+エルダーフラワー：リラックスと温め

ローズ

華やかな見た目と香り、効能も含め女性の味方のハーブ。リラックス効果が高く、不正出血を含む婦人科系の不調全般の改善、ホルモンバランスによる精神的な不調や不眠の改善に。美容としてのスキンケア、アンチエイジングにも効果あり。

【作用】鎮静、緩和、収れん
【からだ】生理痛、生理不順、PMS、更年期の不調、不正出血、下痢、口内炎、咽頭炎、スキンケア
【こころ】不安、悲しみ、怖れ、ホルモンバランスの崩れからくる精神的不調
【ブレンド例】
＋パッションフラワー：安眠、生理痛
＋ジャーマンカモミール：リラックス、安眠
＋バレリアン：安眠、ストレスケア

バレリアン

世界各国で睡眠障害に用いられているハーブ。神経の興奮を静め、寝つき、睡眠の質の改善に役立つ。独特な匂いがあるため、苦手な人はサプリメントでも良い。不安や興奮を抑えたい時に。

【作用】鎮静、鎮痛、抗不安
【からだ】神経系の不眠、脳の興奮、神経系の消化器系不調
【こころ】精神不安、興奮
【ブレンド例】
＋ジャーマンカモミール：安眠、ストレスケア
＋ペパーミント、ローズ：消化器系の不調、過敏性腸症候群
＋ラベンダー、パッヨンフラワー：興奮を鎮める、安眠

エルダーフラワー

リラックスさせながらからだを温める花のハーブ。発汗、利尿作用にすぐれ、鼻水や喉の症状も抑えてくれる。風邪やインフルエンザの初期症状、花粉症にも。マスカットのような香りの少し甘みのある味。コーディアルにしてもおいしい。

【作用】発汗、利尿、抗アレルギー、鎮静
【からだ】冷え、風邪、インフルエンザ、花粉症、鼻水、咳、喉の症状
【こころ】リラックス
【ブレンド例】
＋ジャーマンカモミール：温め、リラックス
＋リンデン：温め、リラックス、喉の乾燥
＋ネトル：花粉症、アレルギー体質改善

リンデン

やさしい味のリラックスハーブ。西洋菩提樹の花の香りが心身に安らぎを与え安眠に。粘液質を含むので身体に潤いを与える。からだを芯から温めながら、ほっとした気持ちに導く。花がゆらぐ姿に視覚からも癒される。

【作用】鎮静、鎮痙、発汗、利尿、保湿
【からだ】不眠、風邪、咳、喉の乾燥、イガイガ、鼻水、高血圧
【こころ】不安、情緒不安定、緊張、落ち着きのなさ
【ブレンド例】
＋エルダーフラワー：温め、リラックス
＋ラベンダー：高血圧改善
＋マロウブルー：喉の乾燥

夜の時間帯におすすめの精油一覧

ベルガモット（ベルガプテンフリー）

ラベンダーと同じ鎮静成分を持つ。柑橘の香りで気持ちを明るく穏やかにしてくれる。ストレスによる食欲不振や消化不良などにも。抗菌、抗ウイルス作用もあるので感染症予防にもおすすめ。

【作用】鎮静、鎮痙、緩和、高揚、抗ウイルス、抗菌、抗感染、消化器系機能調整
【からだ】食欲不振、おなかの張り、消化促進、風邪、感染予防、膀胱炎
【こころ】不安、不眠、抑うつ、ストレス
【ブレンド例】
＋オレンジ：柑橘同士のさわやかブレンド。明るい気持ちに
＋フランキンセンス：不安をやわらげリラックス
＋レモン、ペパーミント：感染予防に

※紫外線に当たると刺激が出る光感作作用があるので、ベルガプテンフリーのタイプを選ぶと良い。

ラベンダー

リラックス効果にすぐれた万能精油。不安やストレスをやわらげ、こころとからだをほぐす。緊張や首・肩凝りからくる頭痛、不眠に。生理痛や神経痛、やけどや日焼けのケアにも使える。少量なら原液使用も可。低血圧の人は使用時間や量に注意。

【作用】鎮静、鎮痙《ちんけい》、抗炎症、血圧降下、抗うつ、抗菌、細胞成長促進
【からだ】頭痛、筋肉痛、肩凝り、首凝り、捻挫、腰痛、生理痛、やけど、日焼け、肌荒れ
【こころ】不安、不眠、ストレス緩和、緊張、イライラ
【ブレンド例】
＋オレンジ：明るいリラックス
＋ゼラニウム：頭、全身のトリートメント、安眠に
＋ベルガモット：鎮静、興奮を鎮める

ジャスミン

華やかな香りのジャスミンは子宮の強壮作用があり、特にPMSによる気分の落ち込みや不安、イライラなどを鎮め、深く安心した明るい気持ちに導いてくれる。肌や髪にハリや潤いを与える効果も。ほんの少量でも効果を発揮。妊娠中は禁忌。妊娠、授乳中は避けて。

【作用】強壮、鎮静、鎮痙、高揚、ホルモン分泌調整、通経、分娩促進、抗うつ、抗炎症
【からだ】子宮強壮、無月経、PMS、分娩、不眠、スキンケア、ヘアケア
【こころ】不安、緊張、落ち込み、パニック、過呼吸、ホルモンバランスの乱れによる精神的不調
【ブレンド例】
＋オレンジ：明るいリラックス、深い安心
＋ローズ：深い鎮静、婦人科系の不調全般、アンチエイジングのスキンケア
＋ネロリ：ストレスケア、安眠、スキンケア

イランイラン

甘い南国の花の香り。緊張やストレスで硬くなってしまったこころとからだを解きほぐし、穏やかな気分や深いリラックスに導く。パニック障害や過呼吸、動悸、喉の詰まり感の解消にも。ホルモンの分泌調整やスキンケア、ヘアケアにも使われる。

【作用】鎮静、緩和、抗不安、ホルモンバランス調整
【からだ】肩凝り、首凝り、生理痛、生理不順、高血圧、過呼吸、動悸、不眠
【こころ】不安、パニック、緊張、自信喪失、抑うつ、神経疲労
【ブレンド例】
＋フランキンセンス：深いリラックス、多幸感
＋ローズ：女性性を高める、婦人科系ケア
＋ベルガモット：イランイランの甘さをさわやかにする。リラックス効果

ネロリ

不安や抑うつから気持ちを救い出してくれる精油。スキンケア効果も高く、細胞の修復、皮膚の血行を促進するので、フェイシャルやボディのトリートメントやスキンケア用品にもおすすめ。

【作用】鎮静、鎮痛、鎮痙、神経強壮、消化促進、抗うつ、抗炎症、皮膚再生
【からだ】心身症、ストレスからくる不調、神経痛、神経性の不調、不眠、アンチエイジング、妊娠線、
【こころ】不安、緊張、パニック、抑うつ、神経症、神経疲労
【ブレンド例】
＋フランキンセンス：深い鎮静、安眠
＋ラベンダー：リラックス、ストレスケア
＋ローズ：アンチエイジングのスキンケア

マジョラムスイート

温め精油のファーストチョイスに。こころとからだを温めながらストレスをほぐし、筋肉や関節のこわばりもやわらげる。冷えからくる肩凝り、腰痛、腹痛や生理痛、頭痛、便秘の改善、筋肉痛や捻挫などの炎症性の痛みにも。

【作用】血管拡張、抗炎症、うっ滞除去、鎮静、鎮痙、鎮痛、抗菌
【からだ】冷え、肩凝り、腰痛、捻挫、腱鞘炎、筋肉痛、生理痛、便秘
【こころ】不安、不眠、ストレス、イライラ、悲しみ
【ブレンド例】
＋ローズ：リラックス、婦人科系の不調改善
＋ラベンダー：リラックス、消炎
＋オレンジ：リラックス、血行促進

ローズ

婦人科系の不調改善、精神安定、美容……と女性の味方になってくれる精油。50～100本分のローズの花から採れる精油の量はたった1滴。とても貴重で高価だが効果も高く、こころとからだ両方に作用し、リラックスに導きながら健康と美しさに役立つ。妊娠中不可。

【作用】鎮静、緩和、収れん、ホルモンバランス調整
【からだ】生理痛、PMS、生理不順、更年期の不調、スキンケア
【こころ】不安、不眠、悲しみ、抑うつ、落ち込み、更年期による精神的不調
【ブレンド例】
＋サンダルウッド：深いリラックス、アンチエイジングのスキンケア
＋ローズゼラニウム：女性ホルモン調整、スキンケア
＋ラベンダー：引き締め、スキンケア、リラックス

ローズゼラニウム

バラの香りに似た別の植物。気持ちをリラックスさせながら女性ホルモンのバランスも整え、PMSや更年期による精神の不調も整える。リンパの流れをよくしてくれるので全身のトリートメントにも。皮脂バランスも整えるのでスキンケアにも◎。

【作用】鎮静、ホルモン分泌調整、強壮、体液循環促進、皮脂分泌調整、傷跡の修復、リンパ強壮
【からだ】生理不順、生理痛、PMS、むくみ、静脈瘤、肩凝り、各種傷、スキンケア、ヘアケア、虫除け
【こころ】イライラ、不安、抑うつ、不眠、ホルモンバランスの乱れによる精神的な不調全般
【ブレンド例】
＋ラベンダー：深いリラックス、首・肩凝りのトリートメント
＋ネロリ：アンチエイジングのスキンケア
＋イランイラン：ホルモン調整、深い眠り

休日のセルフケア

休日はちょっと贅沢なケアで特別感を。
非日常感を味わうと、
メリハリがつき、
心身もリフレッシュできます。

休日のセルフリトリート

「リトリート」という言葉があります。数日間、自然豊かな場所で野菜たっぷりの食事、温泉、マッサージやヨガ、瞑想などのセラピーをして過ごし、こころやからだを癒したり、日常の疲れから回復させるために過ごす旅のスタイルです。

「Retreat ＝避難・退却」という意味もありますが、この場合は「日常から遠く静かな場所へ退き、静養して過ごし、エネルギーを充電して生き返ること」を指します。様々な団体や宿でリトリートプログラムが組まれていますが、ここで私がおすすめしたいのは、休日のセルフリトリートです。

「日常から遠く」というのは、距離だけでなく、「いつも頭の中を占めていることから、意識を切り離す」こと。普段と違う時間を過ごすだけでも、まるで遠くに行ったようなリフレッシュした感覚を覚えることができます。オンとオフをしっかり区切ることは、普段の活力にもつながり、新たなインスピレーションが湧き上がる糧にもなります。

　次のページからご紹介するケアは、前述した朝昼夜の普段のケアに少し時間をかけ、丁寧にからだの声を聴くためのセルフリトリートです。もちろん全てをこなす必要はありません。この中から気になるもの、やってみたいと感じるものを選んで、ご自身のためのプログラムを組んでみましょう。

どのケアも非日常にするコツは、「いつもよりもゆっくり動く」ことです。

私たちは普段、早く、急いでこなすことは心掛けても、あえて時間をかけてゆっくり動くことを意識することは少ないでしょう。実は、「ゆっくり丁寧に動くこと」は、呼吸を整え、自律神経を整えます。

そして、「ゆっくり」を意識することで、自ずと行動に集中して、よりマインドフルな状態になります。

また、どのケアも、内側にある感覚を丁寧にキャッチするようにしてみてください。そうすることで、こころが落ち着き、静けさを取り戻し、「今、ここ」にいられる時間が長くなります。

丸1日セルフリトリートに充てるのが難しければ、半日、数時間でも十分効果はあります。

普段子育てなどで全くお休みや自由がない方も、可能であればどなたかにお子さんを預けて、数時間でもご自身のために使ってみてください。きっとまたやさしい気持ちでお子さんと向き合えるはずです。

マインドフルなウォーキング

休日のウォーキングは、「マインドフルネス」を取り入れてみましょう。太陽の光を浴びてウォーキングをするだけでもすばらしい効果がありますが、セルフリトリートの日には歩く瞑想をします。瞑想といっても難しいことではありません。「歩いている自分のからだに意識を向ける」だけです。

歩くという行為はとても当たり前のことなので、普段は意識せずに行っていることが多いでしょう。それをあえて丁寧に観察し、「今」に集中します。そうすることで、ストレスや疲労がよりいっそう緩和されるはずです。

靴を履いて玄関から出たところからがスタートです。まずは、踏み出す右脚（または左脚）、次に動かす左脚（または右脚）と、順に前に踏み出す脚を意識してみてください。

あなたにとって心地のいいスピードはどのくらいでしょうか？　普段は何も考えずに決めている歩く速さを、からだの内側にあるリズムと調和させるつもりで歩いてみましょう。いつもよりゆっくりでしょうか？　それとも速いでしょうか？

足の裏に当たる地面の感覚も感じてみましょう。脚はからだのどこから動き始めているで

しょうか？　付け根？　それとも腰？

しばらく交互に動く脚を観察しながら進んでみましょう。途中で目に入るものに気を取られたり、雑念が湧いてくることもあります。でも、それに気づいたら再度「脚の感覚」、歩いている自分の「からだの感覚」に意識を戻します。

最初から、瞑想的な状態を長い時間キープするのはとても難しいことです。でも、ほんの数分しか継続できなかったとしても、いつもよりからだがしっかりとして、頭の中が軽く感じられるはず。こころの中に静けさを感じる人もいるでしょう。

また、せっかくのセルフリトリートですから、ウォーキングをしていて、もしも樹々が豊かな場所があったら、お気に入りの樹を探してみてください。よく観察してみると、幹の木肌、色、質感、枝の広がり方、葉の色や形……と、それぞれいつもと全く違うことに気づきます。

大きい、たくましい、どっしりとした、繊細な、美しい、細やかな、柔らかい、やさしそうなど、人間と同じくらいくらい個性豊かなキャラクターを樹々たちから感じます。その中で今のご自身にしっくりとくる1本を見つけます。可能であれば手で触れてみて、その温度や感触、樹から伝わってくる印象、樹とつながっている時の自分のからだの感覚、こころの動きを観察してみてください。

その日によって感じ方が変わりますし、日常では感じられない感覚に気づくはずです。これは、自分を肯定する、「内側にある本当の気持ち」に気づく練習にもなります。

シンプルでも目を喜ばせる食事を

休日のセルフリトリートの食事は、ヘルシーでも手間のかからないシンプルなものを。ワンプレートに必要なものが全て詰まっていて、それでいて遊び心や華やかさがあると、自分へのごほうび感覚や、非日常を味わえます。

食事の組み合わせは、平日と同様「たっぷりの野菜＋ハーブ・スパイス・タンパク質・炭水化物・脂質」。ガパオやタコライスなどのアジアンご飯は手軽に作れておすすめです。生野菜と加熱した野菜両方が取れて、ハーブやスパイスも合うので、抗酸化力もアップ。自分で作ると化学調味料を使用せずに済みますし、野菜、タンパク質、炭水化物、脂質の量のバランスも調整することができます。

P.２０６でご紹介するのは、タイ料理のガパオライスを元にした、とてもシンプルな味付けのあっさりとしたメニュー。鉄分のことを考えると時々は食べたい赤身のお肉ですが、量が多過ぎると腸内環境を乱してしまう原因にも。一回の量を１００g程度に抑えつつ、一緒に野菜をたっぷり食べると、胃腸の負担を少なくしながらいただくことができます。

バジルをはじめたっぷりのフレッシュハーブを添えることで、サラダを一緒に食べた時のようなさっぱり感に。ハーブやスパイスには消化を助ける働きや、たくさんのビタミン、ミネラル、フィトケミカル成分（抗酸化成分）が含まれますので、ふんだんに使いましょう。また、オリーブオイルでオメガ9のオレイン酸（悪玉コレステロールの上昇を防ぐなど）、ナッツ類でオメガ7のパルミトレイン酸（血中中性脂肪の低下など）といった良質な脂質を取ることができます。

さらに、ご飯に雑穀を混ぜれば、ミネラルの量がグンとアップ。なかでもおすすめなのが、タンパク質、ビタミン、ミネラル、脂質、食物繊維全てが豊富で完全栄養食と呼ばれるスーパーフードの「キヌア」。普段のご飯と混ぜて炊いたり、サラダやスープ、ヨーグルトに加えたりと、いろいろな料理に合わせられます。鉄分、カルシウムも多く、骨粗鬆症予防にもつながるので更年期世代の女性にもおすすめです。

ハーブたっぷりの
シンプルガパオライス（一人分）

［ 材料 ］

合い挽肉：100g
ニンニク：½かけ
玉ねぎ：¼個
赤玉ねぎ：少々
ミニトマト：2個
オリーブオイル：大さじ1
醤油：小さじ1
ナッツ：適量（松の実、マカデミアナッツ、カシューナッツなど）
ハーブ：適量（パクチー、イタリアンパセリ、ディル、バジルなど）
スパイス：少々（パプリカパウダー、コリアンダーパウダー）
米：0.5合
キヌア：小さじ1

［ 作り方 ］

①米はキヌアを加えて炊いておく。
②玉ねぎ、ニンニクはみじん切りにする。
③フライパンにオリーブオイルを熱し、②を炒める。
④玉ねぎが半透明になったら挽肉を加えて炒め、塩・コショウ少々（分量外）、醤油、スパイスで味付けする。
⑤①を1人分、平皿によそい④をのせ、その上にスライスした赤玉ねぎ、ミニトマト、ハーブをのせ、ナッツを散らす。

フレッシュハーブティーで特別感を

ハーブは、ドライにしたものをお茶として飲むことが一般的ですが、フレッシュ（生）ハーブティーのおいしさと香りは特別です。ハーブは比較的丈夫な植物なので、ベランダでのコンテナ栽培でも育ち、暮らしに気軽に取り入れられます。

育てやすくて飲んでもおいしいのは、レモンバームやレモンバーベナ、レモングラスなどのシトラス系のハーブたち。名前のとおり、どれもレモンのようなさっぱりとした味と香りです。

ペパーミントやスペアミント、ブラックミントなどのミント系もおすすめ。スッキリとした香りの中に、ほんのり甘さも感じられて飲みやすく、ホーリーバジル（トゥルシー）やシナモンバジル、ライムバジルなどのバジル系も加えるとさらに深みが増して、フレッシュでしか楽しめない特別な味わいになります。

フレッシュハーブティーをおいしくいただくには、ティーポットの中が緑色になるくらいにたくさん入れること。柔らかい茎や花、芽の部分も一緒に入れ、必ず熱湯を注ぎます。5〜10分くらい蒸らすと、黄金色の美しい色が抽出され、ぜいたくな香りが立ちのぼります。飲み終わった後のさわやかさやリラックス感は、休日のセルフリトリートにふさわしい特別感です。

摘みたてフレッシュハーブティー

［ 材料 ］

レモンバーベナ、レモンバーム、ホーリーバジル：適量

［ 効能 ］

胃腸をやさしくいたわりながらリラックスに導いてくれるブレンド。からだが軽くきれいになったような浄化力も感じさせてくれる休日にぴったりな一杯。ストレスの多い人、消化器系の不調のある人、緊張の強い人におすすめ。

天然成分だけの入浴剤でゆったりお風呂

お風呂に入る時、湯船に精油を垂らすのは手軽なケア方法ですが、休日はオリジナルの入浴剤を作って特別なお風呂タイムを楽しみましょう。

粘土を精製し粉状にした「クレイ」は、入浴剤におすすめの基材のひとつ。主成分のシリカをはじめ、マグネシウム、カリウム、硫黄、マンガン、カルシウム、鉄、ナトリウムなど、多種多様なミネラルを含み、肌の炎症を抑えたり、むくみを改善したり、血行を促進したりするので、入浴剤として最適です。

そして、クレイの最大の魅力は、そのすぐれた吸着力。普通の土よりも多層構造で、表面積がとても大きく、そのほとんどがマイナスに帯電しています。つまり、マイナスイオンがとても多い物質ということ。

マイナスイオンは、プラスイオンを引きつける作用があります。私たちのからだの老廃物や、農薬、重金属、大気汚染など、からだにとって不要なものはプラスに帯電しているものが多く、これらを吸着する力が強いことが、クレイのデトックス効果となっています。

簡単なのは、粉のまま大さじ1〜3杯ほど湯船に入れる方法。精油と合わせる時には、クレイに少量の水を加えてペーストを作っておき、そこに好みの精油を5滴混ぜたものを入れます。

少しとろみのあるクレイバスは、まるでにごり湯のようで温泉気分。からだの奥からじんわりと温まります。風呂釜のことを考えると追い焚きはしない方がいいので、ぬるくなってきた場合は熱めのお湯を足してください。

「エプソムソルト」も入浴剤の基材としておすすめ。ソルトと名前がついていますが、成分は塩ではなく、硫酸マグネシウム。海や温泉にも含まれる成分で、むくみの改善や発汗によるデトックス、また必須ミネラルであるマグネシウムの経皮吸収も期待できます。エプソムソルトは天然塩より刺激が少ないので敏感肌にはうれしいところ。また、風呂釜を痛める心配がないので追い焚きも可能です。

精油を入れる場は、入浴一回に対して5滴以内で。1回分のエプソムソルトを容器に出して、そこに混ぜ合わせてから浴槽に入れてください。

Step. 3

左上から反時計回りに｜

ホワイトクレイ（カオリン）：
クレイの中でも一番やさしい肌触り。敏感肌や赤ちゃんにも安心して使える。

レッドクレイ（イライト）：
比較的油分が多いのが特徴の赤い粘土。乾燥肌や秋冬のスキンケアに最適。その右隣はレッドクレイに水を加えペーストにしたもの。

グリーンクレイ（イライト）：
一番ポピュラーな緑色の粘土。老廃物を吸着する力が強くクレイの良さが実感できる。

エプソムソルト：
サラサラとした白い粉状のエプソムソルトはお湯に溶けやすく扱いやすい。

クレイ、エプソムソルトともに湿気に弱いので、密閉容器に保管を。クレイは金属を変質させるので、ガラスやプラスチックの容器に入れます。エプソムソルトの量は、メーカーに準じてください。

ハーブの蒸気吸入

「蒸気吸入」は、洗面器にハーブを入れて熱湯を注ぎ、立ちのぼる蒸気と一緒にハーブの香りや成分を吸い込むケア。まるでお風呂に入ったかのようなリフレッシュ感を味わえます。

蒸気の温かさで血行を促進し、顔の肌を柔らかくほぐします。ハーブの成分が肌に浸透することでスキンケア効果も。また、目もじんわり温まるので、疲れ目やドライアイの解消にも役立ちます。


精油を使っても同じ方法でできますが、ハーブのやさしい香りはまた格別。普段飲んでいるハーブと同じものを使用してＯＫですが、育てたフレッシュハーブがあれば、よりハーブの豊潤な香りを楽しめるでしょう。葉や花の形が残っているハーブなら、視覚からも楽しめます。

自律神経ケアには、鎮静効果のあるローズや月桃、リンデン、オレンジフラワー、ラベンダー、レモンバーム、ジャスミンを2～3種類ブレンドするのがおすすめ。バスタオルやショールをかぶってテントのように塞ぐと、蒸気が逃げずに香りをいっぱいに吸い込むことができ、「ハーブと私だけの世界」が広がります。

楽しんだあとは、手浴や足浴に、または濾《こ》して入浴剤としても使用できます。

［ 材料 ］

月桃、リンデン：各大さじ1

［ 作り方 ］

①すべてのハーブを洗面器に入れ、700～1000mℓのお湯を注ぐ。熱くない程度に顔を近づける。
②目をつぶり、5分程度ゆっくりと深い呼吸を繰り返す。

［ 効能 ］

甘い月桃とリンデンの香りが華やかな組み合わせ。どのハーブにも鎮静効果と美肌効果があり、リラックスしながらフェイシャルケアも。特にリンデンは肌に潤いを与えてくれます。飲んでもとてもおいしいブレンド。

白い花のリフレッシュブレンド

[材料]

ジャスミン：大さじ1
レモングラス：大さじ1
レモンバーベナ：大さじ1

[効能]

白い花と甘い香りがこころを癒すジャスミンと、すっきりさわやかなレモングラス、レモンバーベナの組み合わせ。リラックスしながらも、こころをさっぱりと整えてくれるようなブレンド。

甘い香りの美肌ブレンド

[材料]

カレンデュラ：大さじ1
オレンジフラワー：大さじ1
ラベンダー：大さじ1

[効能]

鎮静効果が抜群のラベンダーと、うっとりするようなビターオレンジの花の香り。肌を整える効果の高いカレンデュラも合わせてリラックスケアを。不安や悲しい気持ちの時にもやさしく寄り添います。

［ハーブの蒸気吸入］

こころを落ち着ける
オリエンタルブレンド

［材料］

金木犀：大さじ1
月桃：大さじ1
オレンジピール：大さじ1

［効能］

やさしく包み込むような金木犀の香りと、月桃の甘い香り。どちらもアジアの美しいハーブたち。オレンジの皮のさわやかさを加えて、少し大人のオリエンタルな安らぎを。

キャンドルの灯りで過ごす

夜は部屋を暗くして過ごすと副交感神経優位になりやすいということは、P.188でご紹介しました。休日はキャンドルの灯りで特別な時間を過ごしてみましょう。炎がゆらゆらと揺れる様を見ていると、自然とこころが「無」になって、落ち着いてくるのが分かります。この炎のゆらぎは、「1/f（エフぶんのいち）ゆらぎ」と呼ばれます。これはある規則性を持ちつつも早くなったり遅くなったり微妙なズレがあるリズムのこと。波の音、川のせせらぎ、鳥のさえずり、雨の音、風にそよぐ葉など、自然界の至る所で見られる普遍的な現象です。

私たちのからだの生体リズムにも、1/fゆらぎが存在しています。例えば心拍のリズム、それから血圧の変動などもこの法則に基づいています。人間はこの1/fゆらぎを感知すると、生体リズムと共鳴します。本来持っているリズムと同調するものは心地よさを呼び、副交感神経を優位にさせます。焚き火やキャンドルの炎に癒されるのも、まさにこれが理由です。

キャンドルの素材は、できればミツロウやソイワックスなど、なるべくからだに負担のない自然素材を選んでください。精油が入ったアロマキャンドルもおすすめです。ただ、その際は精油100％かどうか（合成香料が混ぜられていないか）確認してください。

ジャーナリングで「書く瞑想」

自分のやりたいことは何か、自分はどう考えているのか、なんとなくスッキリしない……など、こころの中にモヤモヤがある時は「紙に書き出す＝ジャーナリング」をすると、自分がよく見えて問題を整理することができます。

思ったこと、感じたことをそのまま文字や図などで書き出します。ネガティブと捉えられる感情も、あなたの内側からの大切なサイン。キレイに書く必要はありません。他者からの評価という視点を忘れて夢中で書くことが、「今、ここ」に集中することにつながります。

自分と向き合っていくうちに、思わぬ本音や感情に気づいたり、新たな視点が見つかることもあります。それを俯瞰して見ることで気づきにつながります。誰かに聞いてもらうのではなく、自分自身と対峙する。書くことに集中することで、自動的にマインドフルネスの状態になるため、書く瞑想とも呼ばれます。

特に悩みやモヤモヤがない場合は、感謝できること、これから叶えたいことについて書いてみましょう。感謝や希望にエネルギーを向けることで、書き終わった時にはこころが満たされ、前向きな感覚を覚えるはずです。

［ 用意するもの ］

特に決まりはありませんが、できればお気に入りのノートやペンを用意。言葉や文章よりも絵や図の方が浮かびやすい人は、色鉛筆などを使ってもいいでしょう。

［ やり方 ］

安心して集中できる場所であれば、自宅でも景色のいいカフェでもOK。30分〜1時間程度向き合います。毎日のルーティンに組み込むのがおすすめです。その場合は5〜10分で十分。ハーブティーを飲みながらリラックスした状態で臨んでください。

香りを使ったマインドフルネス瞑想

感覚の中でも、「嗅覚」はとても本能的だと言われています。五感のうち、視覚、聴覚、味覚、触覚は、思考や理性を司る脳の大脳新皮質《だいのうしんひしつ》という進化的に新しい部分を通ってから大脳辺縁系《だいのうへんえんけい》に伝わります。嗅覚だけはこの大脳新皮質を通らず、原始人時代からある大脳辺縁系に直接アクセスするからです。大脳辺縁系は食欲、性欲、喜び、悲しみなどを司る本能的な部位で、自律神経がある視床下部《ししょうかぶ》を取り囲んでいます。

「香り」は形もなく目に見えませんが、私たちはそれに対して好きか嫌いか、理屈でなく本能で判断しているのです。まさに、感じることを100％発揮するのに、「香り」は最適です。

香りには、こころを鎮めたり、意識を集中させたり、変容させたりする力があります。ですから、瞑想時に精油を使うと、より深いリラックスと「今、ここ」を感じることができます。瞑想時には、ムエット（香りを試すための小さな紙）を使うか、カップにお湯を入れてそこに精油を垂らしたものを使います。直感で好きと感じた精油を使い、リラックスできる場所で、香りを感じながら深い呼吸を繰り返しましょう。寝る前に行うと深い睡眠効果が期待でき、朝行うと気分がすっきりと安定します。

［ やり方 ］

①耐熱のカップに50mℓ程度のお湯を入れて、好みの精油を1〜2滴落とし、目を閉じて鼻の近くに持っていきます。お湯の温度は60〜70度くらい。熱過ぎると精油が揮発してしまうので、熱湯を少し冷ましたくらいが適温。

②リラックスできる場所で、背筋を伸ばして呼吸に集中します。鼻から吸い、吐く時にからだの力を少しずつ抜くように、長く吐きます（呼吸法はP.145を参照）。吐くのは口からでも鼻からでも構いません。

③ 5〜10分繰り返し、自分で静けさを感じることができたら、ゆっくりと目を開けて瞑想を終了してください。

「ゆる活」「セロ活」体験談

実際に、本書にあるセルフケアを、様々な不調のある5人に実践してもらいました。
ここではその体験談をご紹介します。

体験談①

（H・Tさん　49歳）

《ケアを始める前の体調》

・めまい
・パニック障害
・不安神経症（一人で遠出できず）
・更年期症状
・吐き気
・首、肩の凝り
・からだが重い
・便秘
・頭痛
・ネガティブ思考
・中途覚醒（一晩に2〜3回）

めまい・更年期症状…
面倒くさがりでも続けられる「セロ活」で変化

《やったこと》

◎朝　・「セロ活」。日光に当たりながら、からだを動かす
◎夜　・リラックス系の精油を使って、首、肩周りのマッサージとストレッチ
・照明を落として静かな空間で過ごす
・夕食後から就寝前までの間に、ゆるめる系のハーブティーを飲む
◎食事　・日中に便秘効果のあるハーブティーを飲む
・グリーンスムージー、具だくさん味噌汁を飲む
・水溶性食物繊維を取る
・ヨーグルト、ハチミツ、さつまいもをよく取り入れる
・朝ごはんをしっかり食べる（ごはん、味噌汁、野菜、卵など）
・野菜の調理は、「生」か「蒸す」に。揚げ物、炒め物は、ほぼしなくなった

《変化したこと》

①めまいの改善
②一人で遠出ができた
③吐き気がなくなり、頭痛も減った
④首、肩凝り改善、からだの重さ軽減
⑤中途覚醒が朝方一回だけになった

⑥便秘が改善されて、良い状態のお通じが1～2日に一回
⑦不調があったとしても否定せず、受け入れられるようになった。他人の気持ちや考え方を否定しなくなった。感情をフラットにすることができるようになった
⑧自分の「やりたいこと」と「やりたくないこと」が明確になり、思いのままに行動することができるようになった

《感想》

「少しの時間からでいいから、だまされたと思ってやってみて」と、七重先生に熱くすすめられ、始めた「セロ活」。元来、面倒くさがり屋の私は続けられるか心配でしたが、「セロ活」は今でも続けられています。

最初は朝2～3分、外に出て太陽の光を浴びるだけでした。だんだん気持ちよさを感じて、そのうち時間がある時は散歩をするように。

就寝前には照明を落とした静かな空間で、「ゆるめる」系のオイルを使って首肩周りを中心に全身のマッサージをしたり、ストレッチをしたりして、ゆっくり丁寧にからだと向き合う。これも最初は5～10分くらいから始めていきました。

2～3カ月すると、だんだんと悩んでいためまいと中途覚醒がなくなっていることに気づき、本当にうれしくて、うれしくて。そんなからだの変化から、気持ちの面も変化してきました。不安や恐れを溜め込みやすく、しんどくなることが多かったのですが、気づけばあまり考え込まなくなっていました。

今までの私は、「不調は、病院の先生やカウンセラー、薬、ハーブやアロマなど、ほかの誰かやアイテムが治してくれるもの」と思って過ごしていました。けれど、誰かが治してくれるものではありませんでした。「先生やアイテムは、サポートとして。今、元気になれたのは自分のおかげ。自分にもこんな力があったんだ！」と感激しています。

疲れやすいからだが元気に
自分を信頼し、生きやすくなった

体験談②

（R・Oさん　38歳）

《ケアを始める前の体調》

・帰宅時の運転中の激しい睡魔
（眠すぎて途中で休憩を挟みながらでないと帰宅できない）
・頭痛
・呼吸が浅い
・落ち込みやすい
・スッキリ目覚められない
・睡眠時の食いしばり
・首、肩の凝り
・からだが重い
・下痢
・食べ物の逆流
・冬季は足の指が全てしもやけ
・冷え、のぼせ
・手荒れ

《やったこと》

◎朝
・散歩（5～20分）
・ボディワーク（3分）

◎昼
・昼のハーブティーを飲む
・運転前にローズマリー精油の吸入（やらなくても眠くならなくなったので1カ月で終了）

◎夜
・夜のハーブティーを飲む
・湯船に20～30分浸かる（以前は5分程度）
・入浴時に首、肩、頭のマッサージ

◎食事
・食前に桑の葉茶を飲む
・「揚げる」「炒める」の食事をなくし、野菜中心の「蒸す」「ゆでる」食事に変更
・野菜のおかずを食べ切ってから、肉のおかず、ご飯の順に食べる

《変化したこと》

①帰宅時の運転中の激しい睡魔がなくなった
②疲れた時の頭痛がなくなった
③前向きな気持ちになることが増えた
④夢を見なくなり、朝スッキリ目覚めるようになった
⑤睡眠時の食いしばり改善

⑥からだが軽くなり、地に足がつく感覚、気が下に下がる感覚になる
⑦ほぼ毎日、形のある便が出るようになった
⑧食べ物の逆流の改善
⑨しもやけ、手荒れが改善

《感想》

何よりの大きな変化は、自分のからだを信頼できるようになったことです。今まで考え過ぎて落ち込むのは、「自分のこころの問題」だと思っていたのですが、「こころとからだは、つながっている」ということが、セルフケアを通じて腑に落ちました。

頭の中がどんなにネガティブでも、朝日を浴びると、セロトニンを分泌してくれる私のからだは、あれこれ考える暇もなく、自然にポジティブに連れて行ってくれる感じがします。

講座の中で七重先生が言っていた「いつも心配して、何かをコントロールしないと大変なことが起きてしまうと思い過ぎているから、肩に力を入れて頑張ってしまう」「交感神経優位になって、本当の意味でゆるめていない」「自然界に流れているフローや仕組みに任せられる安心感や信頼感を取り戻すことが、人生を生きやすくしてくれる」というこれらの話が、実感を持ってわかってきました。

薬で不調を一部だけ治すのではなく、からだが温まったり、眠りの質が良くなったりすると「おのずと全体が底上げされてくる感覚」を、ここ数カ月で体感しました。そして、「私ってすばらしい生き物なんだなぁ」「私のからだは『よく在ろう』としてくれているんだなぁ」と、自分に感謝の眼差しを向けることができました。

「『自然に備わったからだの仕組み』がなんとかしてくれる」という安心感で、本当に生きやすくなってきました。感謝の気持ちでいっぱいです。

自律神経失調症から見違えるほど元気に「私でいられること」が今、幸せ

体験談③

（H・Uさん　38歳）

《ケアを始める前の体調》

・頭痛
・嘔吐
・激しい眼精疲労
・首、肩の凝り
・中途覚醒
・眠りが浅い
・悪夢（幼少期から）
・ネガティブな寝言
・PMS（社会人になってからずっと）
・情緒不安定
・不安や絶望
・虚無感

《やったこと》

◎朝

・散歩（5～10分）
・公園でラジオ体操またはボディーワーク（10分）
・朝食を食べる

◎夜

・お風呂で首肩頭のオイルマッサージ
・ヨガまたはストレッチ（5～30分）
・お風呂上がりは間接照明で過ごす（毎日ではない）
・スマホは最小限の光、または見ない

◎食事

・朝、昼しっかり食べる（動物性タンパク質を増やした。夜の炭水化物は少なめ、腹8分目を心掛けた）
・ハーブティーを1日600㎖～1ℓ飲む
・冷たいものは基本的に取らない（真夏は除く）

《変化したこと》

①睡眠の質が向上し（中途覚醒なし。悪夢、寝言がなくなる）、朝スッキリ起きられる
②頭痛の改善
③嘔吐が減った
④眼精疲労の改善
⑤首、肩凝りの解消

⑥PMSの解消
⑦生理前の暴飲暴食が激減
⑧からだが軽い
⑨自分の中に安心感が芽生え、「私にはできない」「失敗したらどうしよう」とクヨクヨ考えなくなった
⑩家族（主に母親）との関係に向き合えるようになった。母も「セロ活」で元気になり、「セロ活」が共通の話題になって、とても楽しい

《感想》

自律神経失調症がひどく、休職したものの鎮痛剤がないと仕事ができない状況が続き、やむを得ず退職しました。その時、「私の人生は終わりだ」と落ち込み、と同時に、弱い自分を責め続けました。大袈裟ではなく、これからどうやって生きていけばいいのか本当にわからず、朝が来る幸せ、夜の静けさを味わうこころの余裕なんて全くありませんでした。

そんな時、チムグスイと出会い、少しずつセルフケアを始めました。すると、驚くほどいろんなことが変化しました。

今、私は「私でいられること」が幸せです。それは決して、毎日からだやこころの不調、悩みがないということではありません。日々ゆらいだり、ブレたりします。思い通りにいかないこともあります。でも、全て含めて「生きている」ということなんだと受け入れられている自分がいます。

現代社会は、慢性的な不調やこころのモヤモヤとともに生きている人がたくさんいます。どうか一人でも多くの人が、「生きている喜び」や「ただ在るがままの自分を愛おしく思う気持ち」が芽生える社会であって欲しい、と切に願います。

外面と内面のギャップに悩む日々
セルフケアで自己肯定感が生まれた

体験談④
（Y・Kさん　22歳）

《ケアを始める前の体調》
・慢性的な不眠
・寝つきが悪い
・過緊張
・不安感
・疲れやすい
・冷え
・PMS（無気力感・だるさ、精神的不安定、イライラ、しびれ、出血多量による貧血）

《やったこと》
◎朝　・セロ活（朝日を浴びて呼吸法、ヨガ、瞑想）
◎夜　・暗くして過ごす
・夜のストレッチ
・ハーブティーを飲む
・オイルマッサージ
・冷え取り靴下、レッグウォーマー、腹巻、足湯で下半身を温める

《変化したこと》
①ぐっすり眠れるようになった
②こころにゆとりができ、精神的に安定してきた。生きづらさが薄れてきた
③PMSの解消
④常に足先まで温かくなった

《感想》
私がセルフケアを学ぶようになった一番の理由は、自分自身と向き合いながら、ありのままの私を好きでいられるようになりたいと思ったからでした。私のなかには好奇心旺盛で外交的な部分と、敏感で感受性が強く、簡単に傷ついてしまう内向的な自分がいます。幼い頃から、周りからのイメージと内面との

ギャップに生きづらさを感じていました。

日々受け取る刺激に圧倒され、頭の中はいつもフル稼働。うまく寝つからだは疲弊し、些細なことに傷ついてこころは不安定。自分に自信がなく、卑下したり責めたりで、自分のことが嫌いでした。

大学二年生の時、からだとこころを壊したのをきっかけに、チムグスイでセルフケアを学び始めました。まずは、交感神経優位になりすぎているからだを徹底的にゆるめ、からだがゆるんで心地よい感覚をつかむところから始めました。部屋を暗くしてやさしい灯りのなかで、寝る前のハーブティーとストレッチを続けました。考え過ぎてしまう私にとって、情報が制限される暗い部屋はとても居心地がよく、頭の中もすっきりした状態で眠りにつけるようになりました。

朝のセロ活では、朝日を浴びながら呼吸法やヨガを始めました。すると劇的に睡眠の質が良くなり、交感神経と副交感神経がしかるべき時に働いてくれるのを感じました。

さらに冷え取りを本格的に始めると、血と気が巡るようになり余分なものがどんどん排出され、からだも軽く活動的になりました。気がつけばPMSで鬱々とした日を過ごすこともほとんどなくなりました。

ケアを通して少しずつ私の意識が拡大していくと、今まで隠されていたいろんな感情がわあっと出てきて、ある日突然、とてつもない寂しさに襲われ涙が止まらなくなりました。今思い返すと、あれは子ども時代の私からのメッセージだったのだと思います。

そういった感情に向き合いながらも、のまれ過ぎないこころを養いたいと思い、瞑想を取り入れました。続けていくうちに寂しいという感情が消え、自分は自然とつながっている、何があっても大丈夫、という自信に溢れてきました。

こころが軽やかだと機嫌も上手にとれるようになって、人との会話や物事にふり回されることもなくなりました。楽しいことが次々と生まれ、気持ちのいい循環が起きるように。セルフケアで本来の私でいられるようになったことで、力が発揮できたのかなと思います。

子育て中でもできるケアで不調改善 多幸感に包まれる日も

体験談⑤

（J・Iさん　40歳）

《ケアを始める前の体調》

・めまい
・寝つきが悪い
・中途覚醒
・便秘
・下痢
・食欲不信
・イライラ

《やったこと》

◎朝　・ハーブティーを飲む
　　　・ウォーキング（毎朝40分ほど）

◎夜　・ハーブティーを飲む
　　　・お風呂に入りながら、精油を使った首肩頭のマッサージ

《変化したこと》

①睡眠の質の改善（寝つきが良くなる・中途覚醒の改善）
②便秘の改善
③下痢がなくなった
④食欲旺盛
⑤めまいがなくなった
⑥イライラが減り、気持ちがおおらかになった

《感想》

39歳で第一子を出産しました。慣れない育児、睡眠不足で産後8カ月ぐらいからめまいがするように。それをきっかけに、自分の体調を振り返ってみると、夜寝つけない、中途覚醒、イライラ、倦怠感、便秘と下痢を繰り返す、食欲不振など不調のオンパレードでした。

子どもがまだ小さいので、自宅でも無理なく続けられるセルフケアを取り入れる事にしました。朝はハーブティーを飲んで、40分ほどウォーキング。夜もハーブティーと、精油を使ってお風呂で深呼吸をしながら、首・肩・肩甲骨をマッサージ。すると、ケアを始めてわずか1週間で寝つきが良くなり、下痢をしなくなりました。

さらに続けること3カ月。ひどい時は起き上がる事ができなかったほどのめまいがなくなりました。倦怠感もなくなり、食欲旺盛に。何より気持ちがおおらかになり、育児にも余裕ができるようになりました。夫にもイライラせず「私はこれをされると嫌だ」「これを手伝って欲しい」と伝えられるようになり、逆に、たまにイライラしてしまう自分を許せるようになりました。

朝の散歩をしていると、たまに「今、この場所で生きているだけで幸せ」みたいな多幸感に包まれる日があります。まだ子どもの夜泣きなどがあるので、毎日絶好調とはいかないけれど、セルフケアを始めて良かったと思っています。

Step

4

私に還る

より自然体な「本来の私」へ

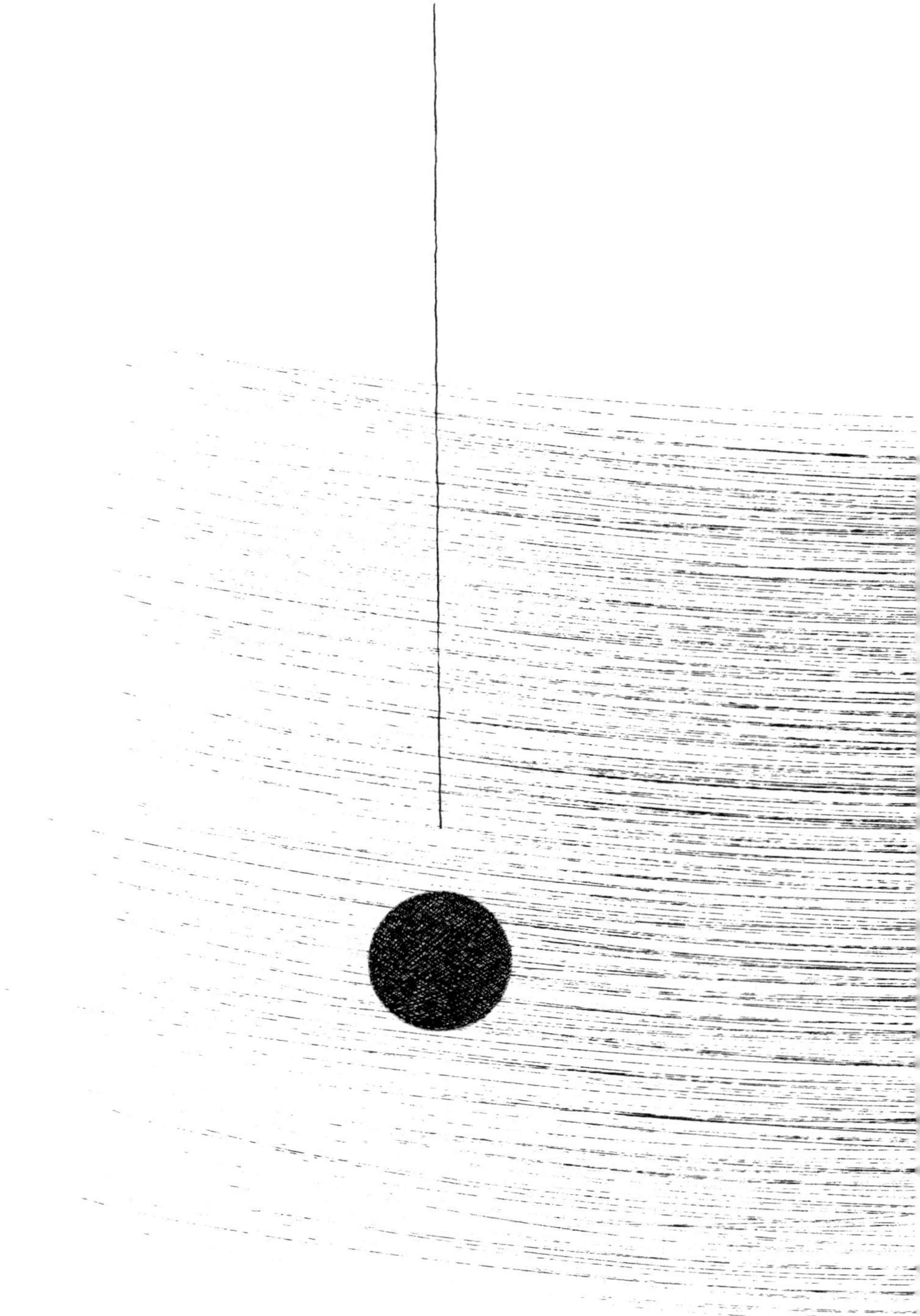

「ありのまま」を認めると本当の安心感が訪れる

ここまで読んできて、「ゆるみたいけど、どうしてもゆるめない」「リラックスしたほうがいいのはわかっているけど、できない」という人もいるかと思います。生徒さんからも、そのような声をよく聞きます。

ゆるんだ状態とは、頭でのコントロールを手放して委ねた状態。それに対する恐れがあると、ゆるみません。とはいえ、「大丈夫だよ」という無意識レベルでの安心感がないと、委ねるのが難しいというのは、もっともな感情です。

この本や講座の中で、自律神経をはじめからだの仕組みを詳しくお伝えしているのは、何よりその安心感を感じて欲しいからです。

セルフケアをきっかけにからだの声を聴くようになると、同時にこころの声も聴こえてくるということは、多くの生徒さんに起こることです。そして、からだとこころが同時に癒され、開かれていく場に度々立ち合ってきました。それは何度体験しても本当に感動的です。

ハーブに興味があって講座に参加してくれたMさんも、セルフケアを通じてからだの声を聴いていくうちに、こころまで大きく変容した一人です。

声楽の勉強をしているMさん。指導の先生に「力んで声を出している」と、いつも言われていたそうです。「どうすればその力みが取れるのかわからず、頭でコントロールしてリラックスした体の状態を作り出そうとしていた」と、Mさんは振り返ります。

講座で学びを深めていくうちに、「ゆるむ」の本質がなんとなくつかめ、からだの声を聴けるようになった時、こころの声にも気づき始めます。それは、「いつも自分よりも周りのことを優先し過ぎている」「自分の本当の気持ちと、周りが期待している（とMさんが思っている）行動が違っている」ということでした。

しかし、Mさんが自分の本当の気持ちを知っても、行動に移すことができません。からだの声を聞いてあげようと思うと、普段の自分と違う行動をしなくてはならなくなる。それは困る、というのです。

常に自分の気持ちよりも他人の気持ちを優先してしまう人、周りの期待に応えることが本当の自分を生きることよりも大切になってしまう人は、幼少期にとても育てやすいお利口さんだったパターンが多く見られます。

幼少期の頃に、親の期待に応えることで褒められたり、承認されることが頻繁に繰り返されると、「こうすれば愛される」という法則が潜在意識に組み込まれ、大人になっても知らず知らずのうちに自分を押し殺して周りに合わせたり、期待される役割を担うことを優先し、自分の欲求に無意識に制限をかけてしまう傾向があるのです。

期待に応えることや他者を優先すること、それは決して悪いことではありません。ただ、もしもそれが生きづらさや緊張につながっているのであれば、その思い込みを少し「ゆるめる」と、さらに生きやすくなるということなのです。

いろいろな体験をしてきてつくづく思うのですが、「ありのままの私でOKなんだ」と心底思えた時、人は本当に安心してリラックスすることができます。

Mさんも自身と向き合い、本来の自分で在ることに許可を出せるようになり、自然にからだの力が抜けるようになりました。子のありのままを愛していない親などいません。ただ、あまりにも当たり前過ぎて、それを言葉や態度で伝えることを大人は忘れてしまいがちです。そして**いい**子を育てようとすることに一生懸命になるあまり、小さな子どもにうっかり勘違いが生まれてしまう事があるのです。

「どうしてもうまくゆるむことができない」「リラックスすることが苦手」という方は、もしかしたらそうした勘違いが無意識に残って、頭でコントロールしがちなのかもしれません。そんな時は、少しずつ少しずつ、自分のありのままの感情と向き合い、それを認めてあげる「受容」という作業を丁寧に行ってみてください。

受容というのは、ただ「そうなんだね」と受け止めることです。それを実行するか、外に出すかはまた別の話です。まずは自分の内側に沸いた感情をありのままに受け入れる。そして、誰よりも自分が自分の味方でいること。それが大きな安心につながります。

他人軸から自分軸へ「自分らしく生きる」ということ

『何かを生み出すということは、無理やり押し出すのではなくて、脱抑制して泉から勝手に湧き出してくるのである。だから、肝心なことは、邪魔をしないということなのである。』

（出典：「note」 https://note.com/kenmogi/n/n34daa3fab7fb?modal=fan より）

これは脳科学者の茂木健一郎先生が、クリエイション（創造）について語った一文です。「私たちの内側にあるエネルギーは、余分な力を抜いた時にこそ滞らずに流れ始める」という点で治癒のプロセスと同じものを感じ、私の講座でも度々この言葉を引用させていただいています。

『すぐれた芸術は医療であり、すぐれた医療は芸術である。「美」も「医」も、本質的には同じところから発していて、それは自分や周りを幸せにし、引いては社会全体を幸せにするための手段だったのだ』

（出典：『いのちを呼びさますもの』より）

これは西洋医学だけでなく、代替医療、伝統芸能にも深く通じる医学博士の稲葉俊郎先生の著書からの一文です。

もともとデザインの仕事をし、幼い頃から「創造」が人生の一部と言えるくらい大好きだった私にとって、自分の本質と今の植物療法の仕事がつながった衝撃的な一文でした。この本も含め、私の主催するチムグスイが視覚的に表現することや美しさを大切にしていることは、私自身がどうしても譲れない部分でした。それは無自覚ではあったけれども、意味のある行為だったと気づいた瞬間でもありました。

受講生の中にも、植物療法がクリエイティビティーにつながっていったという方がいます。写真と文を生業にしているNさんもその一人です。

もともとは、体力が必要な職種であることから、自身を整えたいという理由で講座に参加してくれました。抱えていた不調が良くなる変化のほかに、仕事にも大きな影響があったと言います。Nさんいわく、「人間として自分がどういう風にありたいかが変化して、本当にやりたかったことに近づいていった、そんな感覚です」。

もともと広告や雑誌などで活躍されていたNさん。植物療法を学ぶ前は「自分がどう見られたいか」「有名雑誌の仕事が欲しい」といった、承認欲求や自己顕示欲が先行していたと言います。けれど、Nさんがからだに意識を向け、自分の内側とつながるという体験が増すにつれて、承認欲求のようなものがだんだん減ってきて、自分はこれでいいんだという安堵感が生まれたそうです。

それからは表現自体も変化していきました。

象徴的だったのは、Nさんが2年近くかけて撮影した、有名な某女優さんのポートレイトの個展です。作品に写る姿は、普段テレビや雑誌で見るよりもずっと生々しくリアルで、息づかいや音、香りなど、言葉にならないものまで一緒に映り込んでいるような写真でした。そして、その作品の周りには、涙を流す人がたくさんいました。

自身とつながり調和したNさんが、目の前の被写体と自然に調和してそれが作品となり、見ている人の内側を癒す。私たちが自分自身のからだとこころとつながっていくことは、自分らしくなることと同時に、周りと調和していくことでもあります。それは、わがままや自分勝手になることとは違います。

Nさんは言います。「今まではもっと頑張らないととか、お金を稼がないととか……社会的に成功しなきゃいけないという気持ちが強くて。でもどこかで、それじゃ苦しいな、どこまで頑張らなきゃいけないんだろうという気持ちがあったんです。周りと比べることを続けていると、誰かと絶対同じにはなれないから自己否定しか残らない。今は、私は私のままでいいんだっていう自己肯定が自然にできるようになった。それが安心感につながっているのかもしれません。」

「自我」を超えて「自己」で生きる

からだはほとんどが無意識の領域で働いています。ですから、私たちが内側の感覚に意識を向けてからだの声を聴く時、それは、無意識の領域に意識を向けています。

「心身一如《しんしんいちにょ》」という言葉があるとおり、漢方をはじめアーユルヴェーダ、チベット医学など様々な東洋の伝統医療では、こころとからだを分けることなく診ていきます。そして、こころとからだはつながり合って、一緒に変化していきます。

からだの声を聴き始めた生徒さんたちの多くがこころも一緒に変化して整っていくことに、はじめは不思議な気持ちでしたが、今は「それは自然なことなのだ」と理解しています。その変化は、理想どおりのからだになるということではなく、「より自然な本来の自分に還っていく」という表現がふさわしいかもしれません。

私たちは誕生した時、なんの固定概念もなく、自分の本質だけを抱えて生まれてきます。この時、世界は一体でまだ「自我」はありません。そこから何年もかけて、自我が作られます。触れたもの、触れられた経験、育ててくれた人の声掛け、態度、交流した人、様々なものが自我の形成に関わり、世界を認識していきます。

特に母親、そして長時間一緒に過ごす家族や、学校、教師など「自分を守ってくれる」と思う人からの影響は大きいものです。もちろんその時代の社会の空気というものも影響します。同時に私たちの知能も一緒に発達し、言葉を獲得して「自分なりの世界」、それから「自分自身」というものを認識する枠組みを作っていきます。

幼い頃には「生まれ持った本質」といつもつながっていますが、自我が発達し、社会とのつながりが強くなればなるほど、そのつながりを感じづらくなります。そして、幼い頃のしつけや規律が強く残っている（「超自我」と言う）と、自分の中に「〜するべき」「〜ねばならない」が多くなります。その時にあまりにも生まれ持った本質とセルフイメージに差があり過ぎると、生きづらさを感じてしまうのです。

例えば、本当は自然の中でのびのびと駆け回るのが好きなのに、極端に規律正しく育てられたために自由な表現ができなくなった、本来は内向的で少人数の友人と深く交流したいタイプなのに、外交的な自分を演じて疲れてしまうなどです。そうすると、息苦しい、疲れやすい、緊張しやすいなどの感覚を覚えます。頭にある「自我の領域」と、「生まれ持ったもの」が、チグハグで調和していないのです。

自我は決して悪いものではなく、自我が育たないこともまた問題です。衝動や欲求を抑えられないまま幼児性のある大人になると、それも生きづらさにつながります。また、自我がなく常に誰かの言いなり、自分で考えられないというパターンもあります。ですから、健全な自我が育っていることはとても大切です。

からだに意識を向けることは、「頭の領域にある自我と、私たちの心身のつながりを取り戻し、無意識に気づいていく」作業でもあります。

自我は、この社会の中で円滑に生きていくためのスキルを持っています。ただ、後から形成された自我の価値観だけを優先して生きていくことは、内側に存在する私たちの本質を無視することになりかねません。

からだの声を聴くことで、より深いエリアの自分とつながる。そこからの欲求を社会の中でうまく役立たせること。それは、私たち全体が統合され、より大きな調和したわたしとして生きていくことです。

ユング心理学では、この意識できる自我と無意識の領域も含め統合された私の中心を「自己」と呼びます。自己実現とは頭の世界だけでなく、より深いレベルの大きな私と一緒に、この世界をいきいきと生きていくことにほかなりません。

ただし、自己実現はいいことばかりとは言えません。社会は私たちの意識レベルの約束事で作られていて、自分の本質を生かしていくためには、よりオリジナルな人生を創造していかなければならないからです。決まったルートを行く旅ではないのです。それにはエネルギーが必要です。

また、本質に近づけば近づくほど、シャドウ（影）と直面することになります。抑圧してきた感情や、未完了の感情に光を当て解放していくのです。この作業は未完了の感情を再体験することなので、苦しい、怖いなどのネガティブな思いをすることが多くあります。ただ、これを完了させると、よりいきいきと自分自身の力が発揮できるようになります。

私たちは、その道を歩もうとする本能的な欲求と力も持ち合わせています。それはまるで呼吸が「吸う」と「吐く」を繰り返すように、花の蕾が「開いて」また「閉じて」いくように、宇宙が「拡大」し続けてやがて「縮小」するように。生まれてから外に外に向かっていた意識の成長のエネルギーが再び内側に向かい、無意識の一部を統合しひと回り大きくなって、その自分でまたもう一度外に向かうという生命のリズムです。

そのプロセスの中でできるだけ揺れが少なく進んでいくために、からだを整えることはとても役に立つと私は思っています。

朝日を浴びること、からだを動かすこと、深く呼吸をすること、栄養をしっかり取ること、深く眠ること。これらは私たちの心身を健やかにして、旅をスムーズに進めてくれます。

安心できる場があることも大切です。自分の気持ちを受け止めてくれる、認めてくれる人や場所があること、安全を感じられる場があることで、初めて癒しと成長が始まります。

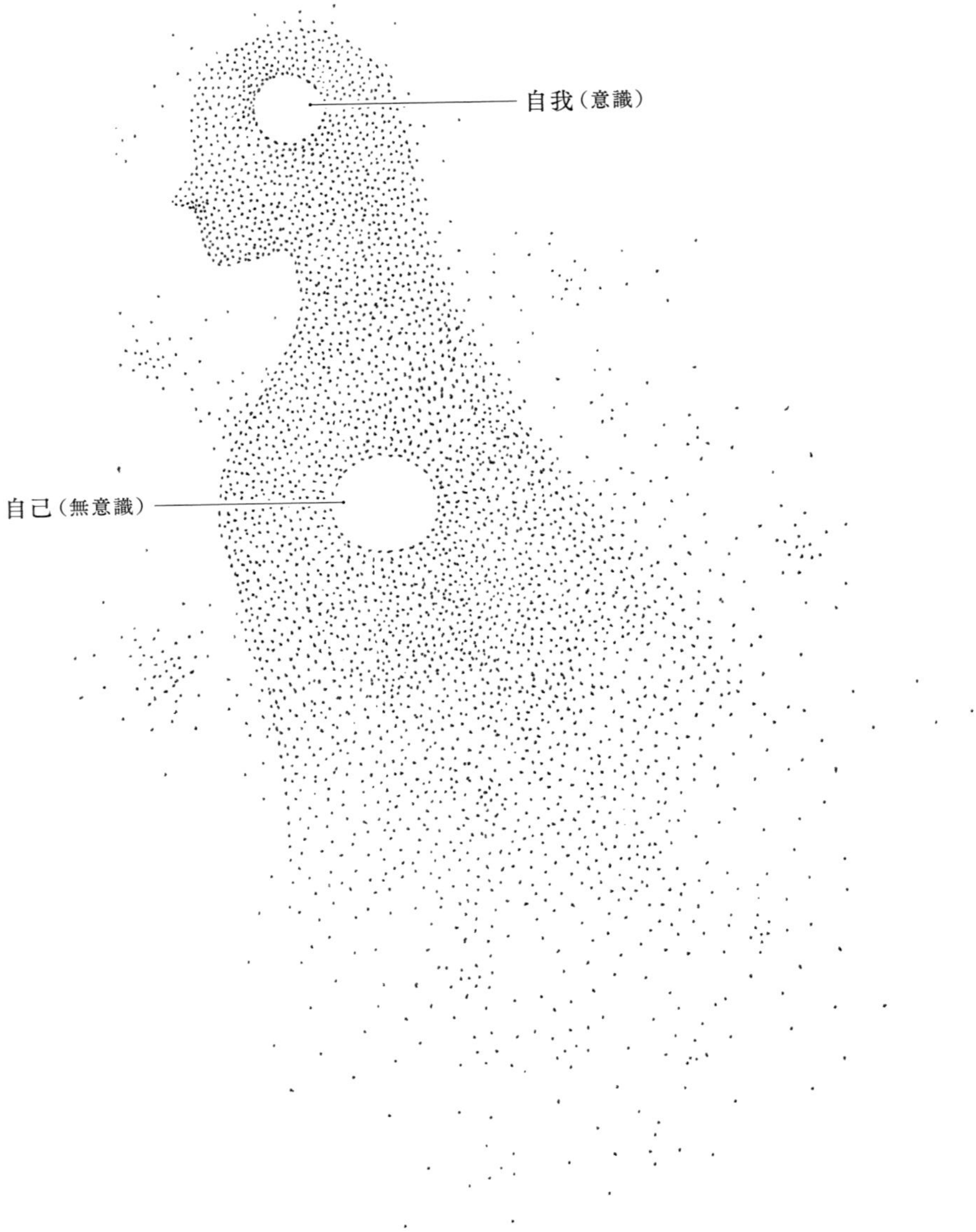
自我（意識）
自己（無意識）

自然は調和に向かっている

頭、からだ、こころ、そして意識や無意識。

「私」の中には、これらがゆらぎバランスを取りながら存在して、いのちを営んでいます。この生命の仕組みを理解するにつけ、私たちの社会はそれをパラレルに表していることに気がつきます。

人間が賢くなるに従って文明が発達し、物やお金、成功を得るためにエネルギーを割いてきました。まさにドーパミン的な欲求を満たす在り方です。また大自然の生態系やフローを無視した都市づくり、自然をコントロールしようとする在り方は、今や地球環境に大きなダメージを与えています。

個人も同様に、頭ばかりを使い、本来のヒトという動物としてのからだの仕組みに合わない生活スタイルとなり、自律神経が乱れ始め不調が現れます。

「社会に現れていること」と「私たち個人ひとりひとりに現れていること」は相似形なのです。

どんなに文明でコントロールしようとしても、大きな自然の流れには逆らえないように、私たちのこころとからだにもともと備わっている自然の摂理も、頭でコントロールして逆らえるものではありません。それらのバランスが崩れた不調和の状態が、社会的な規模では環境破壊や災害、個人的な規模では、不調や病という形で現れます。

でも、社会の発展と自然環境、頭と心身という自然、どれも等しく大切なものです。そして、大きな視点で見れば、自然はいつも調和の方向に向かおうとしています。

地球上に集う生きとし生けるいのちが、調和して健やかでいられるように。

頭だけの声ではなく、からだの声も聴いて本当の自分を大切にできるように。

私たちの社会も自然とのつながりを取り戻して大切にできるように。

様々な時代やプロセスを経て、自然のフローに沿った新しい社会を創造して行くスタート地点に、今、私たちはいるのではないかと感じています。

だからこそ自然療法に、セルフケアに、からだの声を聴く在り方に、たくさんの人たちが興味を抱き、惹かれているのではないかと思うのです。


いつも何度も思います。

社会が、世界が、私たち個人に起きていることの総体で相似形であるのならば、一人一人が在りたい世界を表現して創っていきましょう。

他者や社会を変える前に、なりたい世界にまず、私がなりましょう。

愛のある調和した世界を創造したいのならば、まず私が、そうで在れるように努めましょう。

セルフケアで自分を大切にすること、からだの声を聴いて自分という自然とつながることは、シンプルでささやかなことですが、その一端を担っていると信じています。

この本を通して、あなたという世界とつながれたこと、ご縁をいただけたことに心から感謝します。

ハーブと精油の選び方・使い方・保管法

【ハーブの選び方】

ハーブティーは時間とともに変質しますので、なるべく新鮮なものを飲み切れる分だけ、その都度購入しましょう。新鮮さの基準は「色」「香り」「味」の濃さ。これはどれだけフィトケミカル成分がしっかりと含まれているか、ということにつながります。保管状態や時間の経過とともにこれらがあせていきますので、できるだけ色も香りも味も濃いものを選ぶのがポイントです。できれば、オーガニックや無農薬、残留農薬をチェックしているものを選びましょう。

【ハーブの保管の仕方】

購入したものも自家製のものも、保存方法は同じです。ドライハーブの消費期限は保存状態が良ければ、半年〜1年程。熱と光で変質するため、遮光性の高い密閉容器に入れ、湿気の少ない冷暗所に保管します。茶筒が望ましいですが、日の当たらないところで短期間の保管ならガラス瓶を使用しても。一緒に乾燥剤を入れておくと安心です。

【ハーブティーの入れ方】

2〜3種類混ぜると、よりおいしさが引き立ちます。ずっと浸しておくと苦味が出るハーブもあるので、ティーポットに注いだお湯は最後の1滴まで入れます。2煎目、3煎目も飲めますが、有効成分が一番しっかり含まれているのは1煎目です。

●ドライハーブの場合

1　ティーカップ1杯（約180㎖）に対しておよそ小さじ1杯（約1g）の茶葉をティーポットに入れます。葉の細かいものは少なめに、葉の大きいものは多めにしてください。

2　熱湯（一人分：約180㎖）をゆっくり注ぎます。お湯の温度は必ず高め（約90〜100度）にし、ハーブの成分をしっかり抽出させます。

3　ふたをして、柔らかい葉や花のハーブは3分、実や根などの固いハーブが入っている場合は5〜10分程蒸らします。カップにハーブティーを注げばでき上がり。

●フレッシュハーブの場合

1　洗って水気をよく切ったフレッシュハーブをポットに入れます。ハーブの量はドライハーブの時の3～4倍。フレッシュハーブの場合は見た目がポットの中いっぱいになるくらいに入れます。

2　熱湯（一人分：約180㎖）を注ぎます。

3　ふたをして、5分程度蒸らします。カップにハーブティーを注げばでき上がり。

【精油の選び方】

天然100％の精油を選びます。合成香料やアルコールなどが混ざっているものはアロマセラピーとしては使えせません。ラベルに学名、産地、抽出法、ロットナンバーが記載されているかを確認しましょう。また紫外線により品質が劣化しやすいので、遮光瓶に保存され、1滴ずつ出しやすいようにドロッパー型の中ぶたが付いていることも大切です。

【保存方法】

遮光瓶に入っていても、直射日光、高温多湿を避け、子どもやペットの手の届かない冷暗所にて保管を。酸素に触れて酸化しないようしっかりとふたを閉めておきます。精油は未開封の状態で製造日よりおよそ1年半、ふたを開けてからは、柑橘系は約半年、そのほかのものは1年程使用できます。

【キャリアオイルの選び方】

精油を希釈するための植物オイル（＝キャリアオイル）には、様々な種類があるので、肌に合うものを見つけるのが大切です。1種類だけではなく、目的に合わせて植物オイルをブレンドすることもできます。酸化が早いものは少量ずつ購入し、冷蔵庫で保存しましょう。

ハーブ・精油の注意事項

【精油の注意事項】

●原液を使用しない

天然100%、オーガニックだとしても原則、直接肌につけるのはやめましょう。目に入らないようにし、万が一原液がついたり目に入ったらすぐに洗い流してください。これは品質の良し悪しの問題ではなく、精油は大量のハーブから抽出した、とても高濃度な液体なので、肌に刺激が起きたり、毛細血管から運ばれ体内に入った後に肝臓を通して解毒される時にからだの負担になり得るからです。例外としてラベンダーとティーツリーのみ、ほんの少量でしたら局所使いで原液で使用する時があります。

●飲用しない

精油は内服せず、外用でのみ使用します。ヨーロッパでは内服することがありますが、特別な訓練を受けた医師や薬剤師の指導のもとに行われます。日本でのセルフケアの内服は危険を伴いますので、必ず外用のみとしましょう。

●光感作に注意

柑橘系の皮から圧搾法で抽出したアロマオイルや一部のそれ以外のオイルには、太陽の光に当たるとシミや皮膚刺激の原因となる成分が含まれています。以下に主なものを挙げますので、肌に使用した時には紫外線に当たらないようにしましょう。

アンジェリカルート、オレンジビター、グレープフルーツ、ベルガモット、ライム、レモンなど

●長期使用に注意

長期間に渡り同じ種類のアロマオイルを使用し続けると、ある日突然アレルギーになったり、皮膚刺激を起こしたりする場合があります。2週間使ったら3日休む。同じ目的の別のオイルにする（例：リラックスのためにラベンダーを使用→ゼラニウムやスイートオレンジと交代）、1回の量を少なくするためになるべく数種類をブレンドする、など工夫して同じものばかり使い過ぎないようにしましょう。

●妊娠、授乳中

特に妊娠初期は香りに敏感になるので無理な使用は控え、気持ちよく使える時期が来たら使用しましょう。また妊娠、授乳中は普段の半分の濃度に抑えます。

〈妊娠初期から使える精油〉

スイートオレンジ、グレープフルーツ、ティーツリー、ネロリ、フランキンセンス、ローズウッド

〈妊娠6カ月から使える精油〉

ラベンダー、ローマンカモミール、ジャーマンカモミール、ユーカリ、サンダルウッド

●子どもとお年寄り

基本的には生後1年まではアロマオイルは使わず、ハーブティーや芳香蒸留水で代用します。子どもでも比較的安心して使えるアロマオイルはラベンダー、ティーツリー、オレンジスイート、ローマンカモミール、レモンマートルなどです。1歳からは大人の¼濃度（0・25%）に薄めて、3〜10歳は½濃度（0・5%）で。11歳からでもからだの大きさや体調などを見て薄めに、必要な時のみ使いましょう。からだの機能が弱まってくるお年寄りにも、赤ちゃんや子どもと同じく濃度を半分以下にします。またアロマオイルの香りに慣れない人もいるので、ご本人の意思を尊重し、無理には使用しないようにします。

●肌につける場合

感染症や熱のある時、けがをしている時はマッサージには使用できません。皮膚疾患のある時は慎重にし、少しでも刺激や違和感がある時は中止して下さい。あらかじめパッチテストをすると安心です。マッサージ前後にアルコールの飲用はしないようにしてください。

【ハーブの注意事項】

妊娠中に避けた方がいいハーブは以下の通りです。毎日飲む、大量に飲むのは避けましょう（時々ハーブティーとして飲む、たまに少量お料理に使う程度でしたら影響はありません）。

セージ
タイム
バジル
フェンネル
ローズマリー
シナモン
エキナセア
クローブ
ジュニパーベリー
セントジョンズワート
ヒソップ
ヤロウ
ヨモギ（マグワート）
桑（マルベリー）
チェストベリー
アンジェリカ
ラズベリーリーフ（臨月からは可）

〈妊娠中のおすすめハーブ〉

ペパーミント（つわり中）
ハイビスカス
ローズヒップ
エルダーフラワー
リンデン
レモンバーベナ
ルイボス
ダンディライオン
ネトル（少量）
ラズベリーリーフ（臨月から）

おわりに

本書で何度もお伝えしているように、私がセルフケアについてお伝えするのが好きなのは、皆がからだだけでなく、こころも一緒に元気になっていくからです。

それだけではありません。自分のことが好きになり、自信を持って自分らしい人生をクリエイトしていくからです。

どんな人でもその内側には、とうとうと湧き出す水源があり、リラックスしてそこにつながると生命力やエネルギーが心身を巡り始めます。すると、それは外界の自然ともつながり合って、外界とも調和した世界を巡り始めます。そういった変化の場に立ち合うと、なにものにも代えがたい感動と喜びを体験します。

前著に続き、こうして1冊の本が出来上がったのは、様々な変化の体験を惜しみなくシェアしてくださったチムグスイの講座のすべての生徒さんたち、応援と協力をしてくれたオンラインコミュニティー『forest syn』のメンバーの皆さんのおかげです。

また、実際に私の姿勢とからだを大きく変え、自律神経に対する理解が深まるきっかけを与えてくださったトレーナーの小林祐一さん、前著からずっと、こころとからだをつなぐ世界の師である身体心理療法家の贄川《にえかわ》治樹先生のおかげで、植物療法だけにとどまらない内容にすることができました。

おかげで、読者の方に本当に心身の変化を感じていただける一冊となったと思います。

また、前回に引き続き、実力以上の挑戦に心折れそうになる私を励まし支え続けてくれたお二人の編集者、別府美絹さん、堺あゆみさん、洗練された美しい写真を撮ってくださったカメラマンの山本康平さん、深いところまで共鳴してくださり心が震えるような絵を描いてくださった素描家のshunshunさん、シンプルで余白の美しい装丁をデザインしてくださったアートディレクターの漆原悠一さん、内面まで美しいヨギーニでモデルのマーヤさんにも心からお礼申し上げます。

こんなにも素敵なクリエイターの方々が集って手がけた美しいヘルスケア本を、私は見たことがありません。素晴らしい機会をいただけた幸運に感謝しきりです。

そして、撮影に協力してくれた友人達、スタッフ、執筆の間、仕事や家庭を支えてくれたスタッフと家族にも、心からの感謝の気持ちを伝えます。いつもどうもありがとう。

この本が、混沌の中で息を潜めている美しい魂たちの、いきいきと光輝くきっかけになれば幸いです。

鈴木　七重

参考文献

『不調の9割は「呼吸」と「姿勢」でよくなる！』奥仲哲弥（あさ出版）
『最高のパフォーマンスを引き出す自律神経の整え方』久手堅司（クロスメディア・パブリッシング）
『すぐわかる自律神経の整え方』（主婦の友社）
『自律神経をリセットする太陽の浴び方』有田秀穂（山と渓谷社）
『医者が教える疲れない人の脳』有田秀穂（三笠書房）
『「腸の力」であなたは変わる』デイビッド・パールマター、クリスティン・ロバーグ（三笠書房）
『無意識の構造　改版』河合隼雄（中央公論新社）
『内なる治癒力』スティーブン・ロック、ダグラス・コリガン（創元社）
『いのちを呼びさますもの』稲葉俊郎（アノニマ・スタジオ）

＼ 大好評！／

鈴木七重の著書

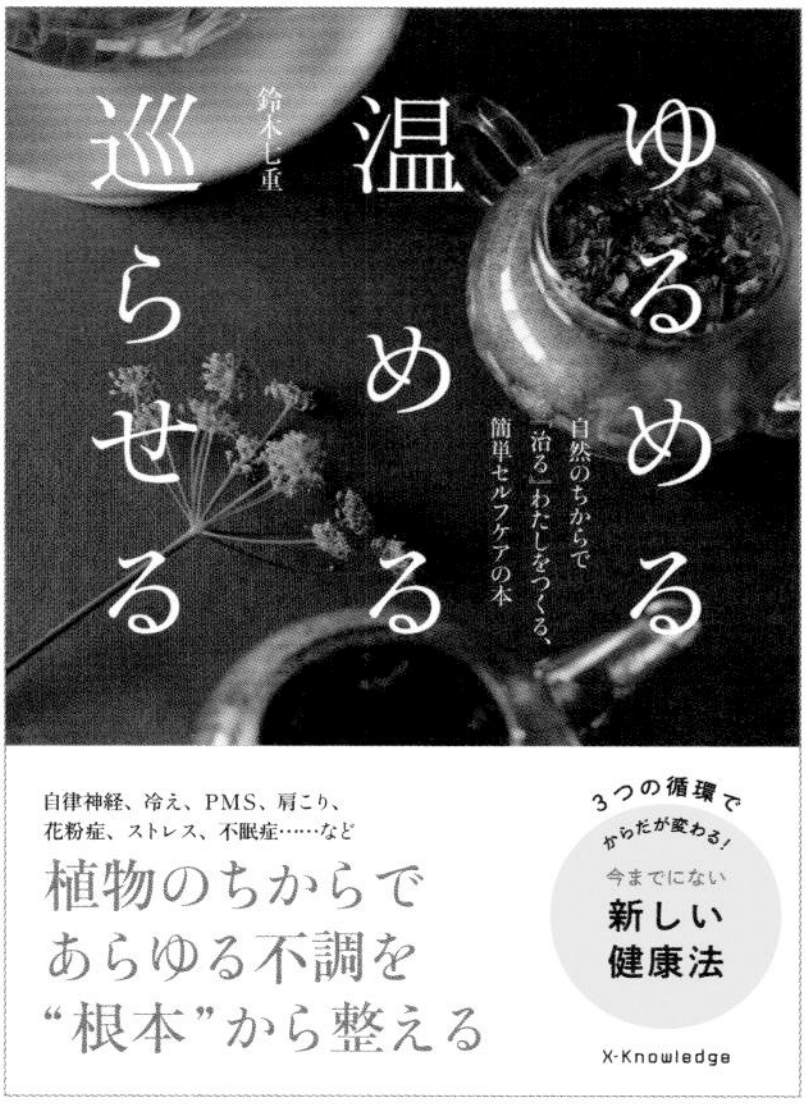

『ゆるめる・温める・巡らせる』

不調に対する対症療法ではなく、からだを根本から整え、不調が起きないからだとこころをつくるには、「ゆるめる」「温める」「巡らせる」の3つの循環ケアが大切。豊富なハーブと精油のレシピのほか、料理やヨガなど、様々な方法の簡単セルフケアで、不調のないからだに！

ISBN978-4-7628-2841-1　定価：1,500円＋税

鈴木七重（すずき　ななえ）
∴chimugusui Inc. 代表・植物療法士

武蔵野美術大学卒業後、企画デザインの仕事を経て、自身の不調改善のために自然療法を取り入れる。生活をシンプルにし植物のちからを取り入れるうちに、不調が改善し心身が調和していく体験から本格的に植物療法を学ぶ。2009年より講師として活動。2013年より∴chimugusui《チムグスイ》をスタート。成分や効果効能だけにとらわれず、からだやこころという自然を信頼しつながることを大切にしたセルフケアを伝える。「心身一如」とも言えるその東洋的なアプローチで起きる変化は、体調の改善のみならず、自身の在り方に本質的な変化を促すため、「植物を使ったマインドフルネス」と呼ばれる。著書に『ゆるめる・温める・巡らせる』（小社刊）がある。

https://chimugusui.com/
インスタグラム　@chimugusui　@nanaesuzuki_chimugusui

監修　小林祐一（TAIKAN代表取締役・ボディディレクター）（P.112～115、156～159、172～175）
　　　贇川治樹（リズムセラピー研究所所長・身体心理療法家）（第4章）

衣装協力／Deife、Nuetag、yinyang yogawear

私を整える。

2023年5月 2 日　初版第一刷発行
2023年5月26日　　　第二刷発行

著者　鈴木七重
発行者　澤井聖一
発行所　株式会社エクスナレッジ
〒106-0032 東京都港区六本木7-2-26
https://www.xknowledge.co.jp/

問い合わせ先
編集　Tel：03-3403-6796 | Fax：03-3403-0582 | info@xknowledge.co.jp
販売　Tel：03-3403-1321 | Fax：03-3403-1829